Ar Daith

DAFYDD ROBERTS

I Siân,
Elis a Ceri,
Meirion a Rhian,
Heledd, Elain a Math,
Nesta, Seth, Aron ac Esyllt
am gyfoethogi'r daith.

Ar Daith

DAFYDD ROBERTS

y Lolfa

Argraffiad cyntaf: 2019

© Hawlfraint Dafydd Roberts a'r Lolfa Cyf., 2019

Dymuna'r cyhoeddwyr gydnabod cymorth ariannol
Cyngor Llyfrau Cymru

Llun y clawr: Celf Calon
Cynllun y clawr: Y Lolfa

Rhif Llyfr Rhyngwladol: 978 1 78461 775 2

Cyhoeddwyd, rhwymwyd ac argraffwyd yng Nghymru gan
Y Lolfa Cyf., Talybont, Ceredigion SY24 5HE
gwefan www.ylolfa.com
e-bost ylolfa@ylolfa.com
ffôn 01970 832 304
ffacs 832 782

Cynnwys

Rhagair

MAE'N HEN YSTRYDEB i ddisgrifio bywyd fel taith, a thynnu cymhariaeth rhwng y ddeubeth, er enghraifft, cyrraedd croesffordd, dewis y llwybr cywir neu anghywir, mynd ar goll, ambell ddamwain neu anffawd ar y ffordd, ac wrth gwrs, peidio cyrraedd pen y daith yn rhy fuan! Cefais y cynnig i ysgrifennu hunangofiant ar ôl cynnal noson gyda Siân, fy ngwraig, lle roeddwn yn adrodd ambell hanes am ddysgu'r delyn gyda Nansi Richards a'm teithiau gydag Ar Log. Dwi felly wedi cymryd 'y daith' ychydig yn llythrennol, ac wedi ceisio adrodd yr hanesion yn ôl y wlad lle digwyddodd yr hanes, ac yn sgil hynny, osgoi unrhyw gofnodion cronolegol. Mae ambell daith i wledydd eraill sydd heb eu cynnwys yma, yn bennaf gan fod popeth wedi mynd yn llyfn! Mae ambell wlad hefyd wedi sleifio i mewn i benodau Cymru, gan fod y sylw, fel arfer, yn un byr, neu mae un neu ddau o hanesion yn cychwyn mewn un wlad ac yn gorffen mewn gwlad arall. Ni allaf roi fy llaw ar fy nghalon a dweud fod pob ffaith yn gwbl gywir, ond maen nhw mor agos â phosibl at yr hyn a allaf ei gofio. Rwy'n ymddiheuro os ydw i wedi adrodd rhywbeth sy'n gwbl wahanol i gof rhywun arall o'r un digwyddiad.

Mae'n rhaid i mi ddweud fy mod wedi mwynhau'r broses yn fawr, yn enwedig yr ymchwil i wirio ambell ffaith a digwyddiad, ond yn od iawn, mae sgwennu am y blynyddoedd diweddar wedi bod yn llawer anoddach na chofnodi'r blynyddoedd cynnar. Mae'n teimlo fel bod treigl amser, ynddo'i hun, wedi hidlo'r digwyddiadau cynnar yn naturiol, a'r hyn sydd wedi aros yn y cof yw'r digwyddiadau hynny sydd wedi creu argraff arna i a digwyddiadau sydd yn rhai difyr, gobeithio.

Hoffwn gymryd y cyfle hwn i ddiolch i Alun Jones am y cynnig i ysgrifennu yn y lle cyntaf, i Lefi Gruffudd a'r Lolfa am bwyso arna i i barhau ac i Marged Tudur am ei gwaith golygu. Hoffwn ddiolch hefyd i Siân am ei barn, ei hawgrymiadau, ei hamynedd, ei chyfeillgarwch a'i chariad ar hyd y blynyddoedd.

Cymru 1

Rydw i yn un o'r *'baby boomers'*, sef plentyn a gafodd ei eni o fewn yr 20 mlynedd ar ôl yr Ail Ryfel Byd, yn ail fab i'r Parchedig Robert David Roberts, rheithor y plwyf yn Llwyngwril, a Jane Ann Roberts, cyn nyrs gyda'r VADs neu'r ATS, a oedd hefyd yn gantores o Ddyffryn Conwy. Plwyf Llangelynnin oedd ail blwyf fy nhad, ac roedd Dad a Mam a'm brawd mawr, Gwyndaf, newydd symud o Glynnog Fawr i ymgartrefu ar arfordir Sir Feirionnydd rhwng Dolgellau a Thywyn. Roedd Dad yn un o chwech o blant, o fferm Tai Croesion, Penisa'r-waen, ger Caernarfon. Bu'n gweithio yn y Co-op yn Llanrug ar ôl gadael ysgol yn un ar bymtheg oed er mwyn casglu digon o arian i fynd i Goleg Ystrad Meurig, ger Pontrhydfendigaid. Roedd hwn yn hen goleg oedd yn paratoi disgyblion yn addysgol i fynd i astudio Diwinyddiaeth yn y brifysgol. Ar ôl cael ei dderbyn i Brifysgol Bangor a graddio mewn Diwinyddiaeth, fe aeth i Goleg Diwinyddol Sant Mihangel yn Llandaf, cyn cychwyn ar ei yrfa yn yr Eglwys yng Nghymru fel curad yn Llangian a Llanfairfechan. Roedd Mam hefyd yn un o chwech o blant, o Ddolgarrog, Dyffryn Conwy, ond cafodd *Rheumatic Fever* pan oedd yn blentyn wnaeth effeithio'n fawr ar ei haddysg yn yr ysgol. Ar ôl nyrsio yn ystod y rhyfel, bu'n gweithio gyda dwy o'i chwiorydd yn y Swyddfa Dreth yn Llandudno, oedd wedi ei hail-leoli yno am gyfnod o Lundain, cyn cael cartref parhaol yn Llanisien, Caerdydd.

Roedd Llwyngwril yn bentref eitha Seisnigaidd, hyd yn oed yn y cyfnod hwnnw, gan ei fod yn un o'r canolfannau gwyliau arfordirol hynny oedd agosaf i drefi mawr diwydiannol canolbarth Lloegr, sef Birmingham, Walsall, Wolverhampton ac yn y blaen. Roedd yn hawdd cyrraedd yno ar y trên drwy'r Amwythig, Y Trallwng a Machynlleth ac yna ar hyd lein y *Cambrian Coast*. Roedd nifer o drigolion canolbarth Lloegr bellach wedi ymgartrefu yn y pentref, a nifer yn rhedeg busnesau yno, o wersylloedd carafannau i'r siop bwtsiar. Roedd enwau'r teuluoedd yn brawf o hynny, sef Rumbold, Gower, Ameson, Sandford, Warne, ond y gwahaniaeth bryd hynny oedd y byddai nifer o'r plant yn cael eu dylanwadu gan y Gymraeg yn yr Ysgol Gynradd, ac yn tyfu'n naturiol i fod yn oedolion dwyieithog.

Magwraeth ddwyieithog gefais i felly, ond yn rhyfedd iawn, er mai Cymraeg oedd iaith y cartref, unwaith y daeth plentyn arall atom i chwarae, hyd yn oed os mai Cymro Cymraeg oedd o neu hi, byddai'r tri ohonom yn troi i'r Saesneg i chwarae! Dylanwad teledu? Dwi ddim yn siŵr gan nad oedd gennym deledu nes oeddwn tua naw oed. Roedd y rheithordy yn lle delfrydol i gael magwraeth – tŷ mawr braf, er yn oer ar adegau, digon o le i chwarae yn yr ardd ac i adeiladu *den* ar ben coeden, neu ddefnyddio'r cwt mangl allanol fel pencadlys ein Hasiantaeth i Achub y Byd!

Mae atgofion cynnar wastad yn bethau niwlog. Ai cofio go iawn y bydd rhywun, neu greu darlun a chof ar ôl clywed hanesion gan eraill? Roedd cychwyn yn yr Ysgol Gynradd yn Llwyngwril yn brofiad cymysg, fel mae i nifer o blant bach – dringo dros y giât a rhedeg adra'r diwrnod cyntaf, ond wedi hynny roeddwn wrth fy modd. Dwi'n cofio gofyn i Gwyndaf, oedd ddwy flynedd yn hŷn na fi, sut oeddwn i fod i godi fy llaw – bysedd yn syth efo'i gilydd neu ar wahân, neu ddefnyddio dwrn neu be? Roedd cael y manylion yn gywir yn bwysig iawn i mi hyd yn oed bryd hynny! Dwi'n ofni 'mod i dal yn un sy'n hoffi canolbwyntio ar y *minutiae*. 'Control Freak' mae fy ngwraig yn fy ngalw. Ond digwyddodd rhywbeth od iawn i mi un bore cyn mynd i'r ysgol gafodd effaith arna i am dros flwyddyn. Roeddwn yn ymarfer *scales* ar y piano drwodd yn y

Drawing Room. Roedd botymau clychau ger bob lle tân yn y tŷ ac yn y gegin roedd panel bach gyda ffenestri bach a chyrten yn symud i ddangos pa gloch fyddai'n cael ei chanu – *Drawing Room, Dining Room, Study, Hall, Front Door, Bedroom 1* ac yn y blaen – a dyna oedd enwau'r stafelloedd i ni heb feddwl – gair Cymraeg i ni oedd 'droingrwm'. Yn sydyn dyma sŵn fel rhyw *buzz* yn dod o gyfeiriad y drws, fel petai'n teithio tuag ataf at y piano. Roeddwn wedi dychryn, ac wrth i mi redeg am y drws a drwy'r *buzz*, cefais sioc drydanol. Rhedais yn crio at fy rhieni yn y gegin, a neb yn dallt beth oeddwn yn trio ei esbonio. Ar ôl iddynt gynnig sawl eglurhad, bysedd oer ar y piano ac yn y blaen, cychwynnais am yr ysgol ond wrth gyffwrdd y wal wrth fynd allan o'r drws, cefais sioc arall. Rhedais yn crio'r holl ffordd i'r ysgol, ac yna roeddwn yn gwrthod dod adra drwy'r drws yn nhu blaen y tŷ. Mynnwn fynd drwy'r drws cefn. Dyna oedd y drefn wedyn am wythnosau, ond yn waeth na hynny, roeddwn yn gwrthod mynd i unlle yn y tŷ ar fy mhen fy hun ac yn glynu wrth Mam drwy'r adeg. Anghofiodd Mam am hyn un waith ac mi es i fyny'r grisiau i chwilio amdani. Wrth gyffwrdd y wal ar y grisiau cefais sioc arall – y trydydd tro erbyn hyn. Am fisoedd lawer wedyn fe geisiodd fy rhieni ddarganfod beth oedd yn bod arna i, a dwi'n cofio mynd drwy bob math o brofion gan seicolegydd plant yn Aberystwyth. Roedd y peth yn anodd ei goelio, wrth gwrs – bachgen bach tua 5 oed yn cael sioc drydanol ar wahanol adegau o gwmpas y tŷ, ond neb arall yn eu cael. Un diwrnod des adra o'r ysgol ac roedd MANWEB yn y tŷ a'n stôf drydan allan yn y cefn. Jest rhag ofn fod gwirionedd yn fy stori, roedd fy rhieni wedi galw arnynt i wneud profion ar y tŷ, a chanfuwyd fod yr hen stôf drydan yn gollwng trydan drwy'r ceblau *earth* drwy'r tŷ, a bod gwifrau yn y waliau ymhob un o'r llefydd yr oeddwn wedi'u cyffwrdd a chael sioc! Hyd heddiw, dwi ddim yn siŵr yn hollol os mai dyna oedd y broblem, ond yn aml pan dwi'n pasio lampau'r stryd maent un ai yn diffodd neu yn dod ymlaen – wir i chi! Fe ddywedodd Mam hefyd fod mellten wedi dod drwy'r ffenest unwaith yn ystod storm, pan oeddwn yn fabi yn ei breichiau, ac wedi ein dilyn drwy'r tŷ wrth i Mam redeg o un ystafell i'r llall. Hefyd, bellach mae gen i *pacemaker* gan fod y signal trydan bach i'r *SA node* yn fy nghalon yn ddiffygiol. Dwi wastad wedi pendroni ai'r digwyddiadau cynnar yna sy'n gyfrifol!

Fel arall, cefais fagwraeth braf iawn, a'r tŷ yn aml yn llawn cerddoriaeth. Roedd Mam wedi cael cryn lwyddiant fel cantores ac wedi cael hyfforddiant fel contralto. Roeddwn wrth fy modd yn gwrando arni hi'n ymarfer. Gorwedd o dan y piano, boudoir grand bach du roedd Dad wedi ei gael mewn sêl yn rhywle, a gwrando ar Mam yn canu 'Oh Had I Jubal's Lyre' gan Handel. Yn Gymraeg fyddai Mam yn ei chanu ond doedd gen i ddim syniad beth oedd 'Pe Telyn Jiwbail Gawn'. Roeddwn yn meddwl mai rhywbeth tebyg i *dressing gown* oedd 'jubail gown'. Rhoddodd Mam y gorau i wersi canu ar ôl ychydig gan fod edrych ar ôl dau o fechgyn bach a dyletswyddau fel gwraig y rheithor yn ormod mae'n siŵr. Roedd hynny'n bechod gan fod ganddi lais ardderchog, fel ei brawd John a'i thad J. E. Roberts.

Roedd brawd fy Nain, sef mam fy Mam, hefyd yn gerddor, a dyma'r cysylltiad cyntaf gyda Nansi Richards, Telynores Maldwyn. Roedd Nain, sef Mary Ellen o fferm Llwyncwpl ger Llangwm, yn ffrindiau pennaf gyda Nansi, neu Jane Ann i roi'r enw llawn iddi, ac fe enwyd Mam ar ôl Nansi. Fe ddysgodd Nansi frawd Nain, sef Dei Llwyncwpl i ganu'r delyn deires. Roedd Dei yn organydd yng Nghapel Gellïoedd ond fe wirionodd ar y delyn deires a tharo bargen efo Nansi. Gwerthodd Nansi delyn deires i Dei ar yr amod ei fod yn derbyn wythnos o wersi ganddi hi. A dyna fu. Roedd yn ddysgwr cyflym, a'i hoff ddarn oedd 'The Greek Pirate's March'. Yn ôl Nansi, doedd Dei byth isio dysgu alawon yn y lleddf, dim ond rhai llon. Yn anffodus iawn, cafodd Dei wŷs i fynd i'r Rhyfel Byd Cyntaf, yn ddiangen yn ôl y sôn, a bu farw yn Ffrainc ar 7fed o Ionawr 1917 yn 26ain mlwydd oed. Fe barhaodd y cyfeillgarwch gyda'r teulu, fodd bynnag, ac fe aeth Mam â ni i wrando ar Nansi mewn cyngerdd yn Neuadd Mynytho. Roedd fy mrawd a minnau wedi gwirioni â'r delyn ar ôl hynny ac felly roedd rhaid cael un i'r tŷ rywsut. Roedd y ddau ohonom wedi cychwyn chwarae'r piano yn ifanc – tua 4 oed oeddwn i, dwi'n credu, ac yna cael gwersi gan Mrs Southall yn y Bermo ar fore Sadwrn. Roedd hynny'n achlysur pleserus iawn. Teithio ar y trên stêm adeg hynny dros afon Mawddach i'r Bermo, gwersi, *Chelsea Buns*, ac yna, weithiau, cerdded yn ôl dros Bont y Bermo i Morfa Mawddach a chael y trên oddi yno am adra. Collais hen ddarn tair ceiniog unwaith, sef fy mhres poced, oedd yn fy llaw wrth daflu carreg i'r afon Mawddach – byddai hwnnw wedi talu am *Chelsea Bun* arall!

Ond i fynd yn ôl at y delyn; un noson gwelodd Dad olau ym mynwent yr eglwys, ac aeth i ganfod beth oedd yno. Gwelodd ddynes oedd yn chwilio am fedd perthynas iddi, ac ar ôl dod o hyd iddo, gwahoddodd Dad hi i'r tŷ. Cafwyd mai District Nyrs o'r enw Margaret Taylor oedd hi, wedi teithio'r holl ffordd o Dreorci yn y Rhondda. Ar ôl cynnig tamaid o swper iddi, bu'n rhieni a hi'n sgwrsio am wahanol ddiddordebau gan gynnwys dyhead Gwyndaf a minnau i gael telyn a dyma hi'n dweud yn hollol ddifater 'o mae gen i hen un, mi gewch chi hi a chroeso'. A dyna fu. Dyma drefnu i fynd lawr i Dreorci i'w nôl hi, ac ar ôl cyrraedd dyma Margaret yn mynd â ni i ryw glwb Llafur, ac yno yn y gornel o dan orchudd go lychlyd roedd hen delyn deires. Cyrhaeddon adra gyda'r delyn wedi'i chlymu wrth fŵt y car a ffonio Nansi yn syth. Daeth heibio â hen focs bisgedi yn llawn o hen dannau, a dyma hi'n dweud ei bod hi'n credu mai hen delyn Llanofer oedd y deires.

Cadarnhawyd hyn yn ddiweddarach gan Sain Ffagan. Roedd gan Arglwyddes Llanofer gôr o delynau teires ac roedd ambell un wedi mynd ar goll dros y canrifoedd, a dyma un wedi dod i'r golwg yn Nhreorci. Dechreuodd Gwyndaf a minnau ar wersi. Dim gwersi ffurfiol, dim copïau ar eu cyfyl ond y cwbl o'r glust. Byddai Nansi yn ffonio i ddweud ei bod hi yn rhywle fel Dolgellau a gofyn fedren ni ei nôl hi. Roedd rhaid gollwng popeth a mynd yn syth. Byddai'n cyrraedd gydag ychydig iawn o fagiau, weithiau gyda dim ond coban mewn un boced a brwsh dannedd yn y llall, a byddai'n aros am ryw wythnos. Roedd hi'n ddidrafferth iawn i'w chadw, ac yn bodloni'n aml ar frechdan *lemon curd*. Byddem yn dysgu ambell alaw ac wrth ymarfer, byddem yn meddwl fod Nansi yn pendwmpian wrth y tân, ond roedd hi'n clywed pob nodyn, yn enwedig pan fyddai yna gamgymeriad. Y bwriad ar y dechrau oedd y byddem yn cyfeilio i'n rhieni. Roedd Dad a Mam yn aml yn mynd i gynnal nosweithiau i wahanol gymdeithasau – Dad yn darlithio ar hanes canu gwerin a Mam yn canu, ac felly byddai cael Gwyndaf a fi'n cyfeilio, gobeithio, yn ychwanegu at y noson. Roedd rhaid felly cael telyn arall os yn bosib, er mwyn i'r ddau ohonom gyfeilio gyda'n gilydd, a thrio cael telyn bedal i helpu gyda'r cyweirnodau.

Daeth Dad o hyd i hysbyseb yn y papur am delyn bedal *Grecian* ar werth gan ddeintydd o Fethesda am 12s/6d (sef 63 ceiniog!). Dyma nôl y delyn a gweld bod handlen y goriad tiwnio wedi torri, ond bod y deintydd wedi creu un newydd gyda'r deunydd pinc a ddefnyddir ar gyfer dannedd gosod. Dyma gyrraedd adra a chychwyn ymarfer ar gyfer y cyngerdd cyntaf mewn capel yn Nhrawsfynydd. Noson cyn y cyngerdd clywyd andros o glec yn y nos, a dyma ddeffro'r bore canlynol i ganfod fod gwaelod y delyn bedal wedi chwalu'n llwyr. Roedd yn llawn pry a'r pren wedi gwanio cymaint fel nad oedd y corff yn gallu cymryd tensiwn y tannau oedd wedi eu tynhau i gyd erbyn hyn. Mae'n bosib iawn mai dyma pam yr oedd hi mor rhad! Doedd dim amdani ond ffonio Nansi i ofyn am gyngor. 'Bydd rhaid i'r ddau ohonoch chwarae popeth ar y deires efo'ch gilydd', medda hi, 'fel roedd Edith (telynores Eryri) a minnau yn arfer neud.' A dyna ddigwyddodd. Gan mai y fi oedd y lleiaf ac yn chwarae mwy o'r cyfeiliant, roeddwn i ar fy ngliniau ar waelod y delyn a Gwyndaf yn sefyll ar stôl i chwarae ar ran ucha'r delyn – a dyna sut wnaethon ni yn y cyngerdd cyntaf yna. Fe gywirwyd y delyn bedal yn y diwedd ac aeth Gwyndaf a minnau gyda'n rhieni i sawl noson wedi hynny.

Roedd Taid, sef tad fy Mam, yn arfer clocsio rhyw gymaint hefyd, ac un noson pan oedd Nansi draw yn aros, fe ofynnodd i mi roi tro ar glocsio. Doedd gen i ddim clocsiau ond dwi'n cofio benthyg sgidiau sodlau uchel Mam i drio rhyw stepiau. Gydag anogaeth Nansi, tra roedd pawb arall yn chwerthin, daeth rhywfaint o siâp ar y ddawns. Sefais ar fy mhen fel jôc yng nghanol y ddawns a tharo'r sodlau at ei gilydd, a chwarddodd Nansi dros y lle, ac o ganlyniad, ac ar ôl cael pâr o glocsiau, daeth dawns y glocsen, gan gynnwys sefyll ar fy mhen, yn rhan o'r nosweithiau gyda'm rhieni. Ychydig iawn a wyddwn bryd hynny y byddai hyn hefyd yn dod yn rhan o berfformiadau Ar Log am flynyddoedd lawer. Fel arall, prif orchwyl Gwyndaf a minnau gyda'r telynau oedd y gwasanaeth blynyddol yn hen eglwys Llangelynnin. Mae hon yn eglwys hynafol iawn sy'n dyddio'n ôl i'r 13eg ganrif, tua dwy filltir i'r de o Lwyngwril, rhwng y ffordd fawr a'r môr, ond fyddai dim gwasanaethau yn cael eu cynnal yno. Pan ddaeth fy rhieni i Lwyngwril, dechreuodd Dad ymchwilio i hanes yr hen eglwys a sylwodd bod hen elor feirch ddwbl yno – pethau prin iawn – a ddefnyddid i gario eirch i lawr o'r mynyddoedd gyda dau geffyl. Yna, wrth glirio tywarch oedd o flaen y drws, gwelodd fedd gyda'r llythrennau A.W. ac 1799 wedi eu cerfio ar y garreg. Dyma ddarganfod wedyn mai bedd y sipsiwn enwog Abram Wood ydoedd, ac ar ôl mwy o ymchwil i nodweddion a chreiriau'r eglwys, fe ysgrifennodd Dad lyfryn bychan ar hanes yr eglwys a'i roi ar werth yn yr eglwys gyda 'blwch gonestrwydd'. Penderfynodd hefyd gael trwydded arbennig i gynnal gwasanaeth yno unwaith y flwyddyn ym mis Awst. Doedd dim trydan nac unrhyw offeryn yn yr eglwys, felly'r syniad oedd bod Gwyndaf a fi'n cyfeilio i'r emynau ar y telynau. Ar y dechrau, am rai blynyddoedd, byddai Nansi yn arwain y cyfeilio ar un o'r telynau a ninnau yn cyfrannu fel y gallem, nes daeth yr amser i ni gyfeilio ein hunain. Roedd yn achlysur arbennig iawn, gyda'r eglwys fach yn orlawn, a byddai nifer yn cerdded yr holl ffordd o'r pentref. Roedd hi hefyd yn braf meddwl fod y delyn deires yn ôl yn yr eglwys ganrifoedd wedi i Abram Wood a'i deulu o ffidlwyr a thelynorion fod yno.

Dwi'n edmygu'r gwaith wnaeth Dad a Mam yn y cyfnod hwn i adfywio a threfnu nifer o ddigwyddiadau, gan gynnwys pasiantau, dramâu a phantomeimiau. Roedd Dad yn barddoni hefyd ac yn mynd yn aml i feirniadu mewn eisteddfodau. Roedd Mam yn weithgar iawn yn ffurfio a hyfforddi côr i blant yn yr eglwys, a hyd yn oed yn gwnïo eu dillad, fel y gwnaeth hi efo'i ffrog briodas allan o hen *parachute* sidan. Roedd hi hefyd yn mwynhau arlunio a chynnal nosweithiau mewn cymdeithasau gwahanol. Mae'n bechod a dweud y gwir na chafodd Mam y cyfle i fynd ymlaen i addysg bellach neu uwch ond rhwystrwyd hi oherwydd y salwch. Fe ddaeth un o ganlyniadau cyffredin *Rheumatic Fever* i'w phoeni pan oeddwn yn blentyn, sef diffyg ar *mitral valve* y galon, a bu yn ysbyty'r galon yn Sefton, Lerpwl am gyfnod.

Er cymaint o'n i'n mwynhau cael Nansi draw a chlywed ei hanesion a dysgu alawon, pylu i raddau wnaeth y diddordeb yn y delyn wrth i mi gyrraedd fy arddegau. Roedd cerddoriaeth roc a phop wedi cydiad a grwpiau fel Status Quo, Deep Purple a Led Zeppelin yn arwyr. Roedd chwaraeon a gwyddoniaeth, yn enwedig bioleg, yn mynd â fy mryd yn yr ysgol, ond diolch i ddylanwad yr athrawes gerdd, Marion Washington Jones, doedd cerddoriaeth byth ymhell chwaith. Roedd gan Marion ddylanwad rhyfeddol ar y disgyblion, hyd yn oed y rhai mwyaf anhylaw. Roedd y cyngerdd carolau blynyddol yn y capel yn Nhywyn yn ddihareb, gyda'r rhan fwyaf o ddisgyblion yr ysgol yn y côr yn y galeri a phob sedd arall yn llawn oriau cyn y gwasanaeth. Mae fy nyled i Marion yn fawr, gan iddi hi ganfod rhyw ffordd i mi allu astudio cerdd ar gyfer fy Lefel O er mai gwyddoniaeth oedd fy newis fel arall. Doedd dewis y ddau ddim yn bosib bryd hynny, ond fe lwyddodd Marion i ddatrys y broblem rywsut. O ran chwaraeon, mae fy nyled i'n fawr i Adrian Maher, yr athro ymarfer corff, am fy ngwthio'n galed ar y cae rygbi ac ar y trac athletau i gyflawni amseroedd da ar gyfer y 1500m, yr 800 metr, a'r naid driphlyg. Digon felly i gymryd rhan yn y *Welsh Games* yn erbyn Iwerddon a Phortiwgal yn 1974. Cefais fedal am un o'r campau, ond dwi ddim yn cofio pa un. Dim ond yn ddiweddar iawn, wrth weithio yn Sain, y sylweddolais fod Adrian yn frawd i Vernon Maher, un o'r ddeuawd enwog Vernon a Gwynfor – 'Isn't the world a handkerchief?' fel y dywedodd rhyw Wyddel wrtha i unwaith.

Dylanwad arall ar yr ochr gerddorol oedd dau frawd, a meibion y casglwr *shanties* Stan Hugill, sef Phillip a Martin. Roedd yr Hugills yn byw yn Aberdyfi a Stan yn gweithio yn yr Outward Bound Sea School ar yr aber. Hen longwr oedd Stan, *Seadog* oedd yn edrych y part, a bu'n llongwr ar y llong hwylio fasnachol olaf, sef y *Garthpool* ac yn rhan o'r *Tall Ships Race* enwog a hwyliodd i mewn i Efrog Newydd. Roedd yn ddarlledwr, yn ganwr gwerin, yn awdur, yn gasglwr caneuon ac yn artist o fri. Roeddwn wrth fy modd yn gwrando ar ei hanesion, ac roedd Phillip a Martin yr un oed â Gwyndaf a minnau. Byddent yn canu'r gitâr a'r mandolin, drymiau a gitâr fas ac yn canu caneuon gwerin a chaneuon y môr roedd eu tad wedi'u dysgu iddynt. Yn naturiol felly roeddem yn rhannu diddordebau ac yn treulio oriau yn eu cwmni yn chwarae cerddoriaeth. Roeddynt yn ffans mawr o Lindisfarne a'r Incredible String Band gyda'r canwr Robin Williamson a'r delynores Sylvia Woods. Ychydig a wyddwn y byddwn erbyn diwedd y saithdegau yn aros gyda Sylvia Woods ac aelodau eraill y band yn Los Angeles dros y Nadolig a'r Flwyddyn Newydd.

Ukelele bach oedd fy hoff offeryn i ar ddechrau'r saithdegau, yna fe ddois o hyd i hen ffliwt bren yn y cwpwrdd adra. Doeddwn i ddim yn siŵr beth oedd hi i ddechrau, ond Mam oedd wedi ei chael gan ryw hen ffarmwr o Roslefain. Ar ôl trio chwythu i mewn iddi bob ffordd, dyma weld mai ffliwt oedd hi a thrio cael sŵn drwy'r twll mawr. O dipyn i beth fe lwyddais i gael tôn weddol arni, a dechreuais ei defnyddio gyda'n cyfeillion yn Aberdyfi. Doedd dim *Google* bryd hynny, felly ar ôl pori drwy ambell lyfr fe welais lun o ffliwt oedd yn debyg iawn iddi hi – Boxwood and ivory flute with brass keys – circa 1830. Dyna hi – ches i ddim ei defnyddio rhyw lawer ar ôl hynny! Yn ffodus iawn daeth cynllun cerdd Sir Feirionnydd i'r adwy a threfnodd yr ysgol i mi gael benthyg ffliwt 'iawn' gan y Sir i weld sut y byddwn yn datblygu. Roeddwn wedi bod yn chwarae offer taro a drymiau yng ngherddorfa'r sir, ond daeth cyfle i ymuno â'r chwythbrennau gan nad oedd unrhyw un arall yn canu'r ffliwt. Ar ôl pori drwy'r llyfrau *Teach yourself* a chael cyngor gan y tiwtor peripatetig ac arweinydd Band yr Oakley, Bob Morgan, daeth sŵn gweddol gall o'r ffliwt. Roeddwn hefyd yn hoffi gwrando ar bob math o gerddoriaeth ffliwt, yn enwedig jazz roc fel Jethro Tull, gan geisio efelychu'r sŵn ar draciau megis 'Bouree' a 'Locomotive Breath'.

Doedd dim posib cyfuno Cerdd fel pwnc yn y 6ed dosbarth efo'r gwyddorau, ac roeddwn wedi rhoi fy mryd ar fynd i astudio meddygaeth. Mathemateg, Cemeg a Bioleg oedd y dewis felly, ond roedd cyfle o hyd yn yr ysgol i fod yn rhan o ensemblau, corau a grwpiau. Roedd Gwyndaf bellach ym Mhrifysgol Bangor ac wedi ymuno â'r grŵp Atgyfodiad yn chwarae gitâr fas, ac mi gefais innau gyfle i chwarae ffliwt efo nhw mewn ambell gyngerdd. Yna daeth Marion, yr athrawes gerdd, ata i un diwrnod a gofyn a fyddwn i'n gallu mynd draw i Flaenau Ffestiniog i chwarae offerynnau ar recordiad i Sain. Doedd dim rhaid gofyn ddwywaith. Aeth Dad â fi i Ysgol y Moelwyn a phwy oedd yno ond Dafydd Iwan, Edward Morris Jones, Robin James Jones ar y delyn a 'mrawd Gwyndaf ar y bas! Roeddynt yn recordio'r LP *Fuoch Chi 'Rioed yn Morio?* gan ddefnyddio'r neuadd, a'r peiriannydd, Selwyn mewn ystafell arall. Doedd dim copïau, roeddem jest yn chwarae rhywbeth ar y pryd wrth wrando ar y caneuon. Wedi ymarfer nes bod pawb yn hapus, dyma recordio yn syth i'r tâp a doedd dim cymysgu na golygu wedyn. Cafwyd ail sesiwn mewn rhyw 'stiwdio' fach yng ngardd gefn tŷ Selwyn ym Mlaenau Ffestiniog. Roedd hwn yn fyd cyffrous a newydd, ac roeddwn wrth fy modd. Dwi'n credu mai ffliwt a *glockenspiel* wnes i chwarae yn y diwedd ar y caneuon, a dyna oedd fy nghysylltiad cyntaf â chwmni Sain. Erbyn diwedd y 6ed Dosbarth, doedd yr arholwyr Lefel A ddim yn cytuno y dylwn astudio meddygaeth, felly roedd rhaid ailfeddwl ac erbyn Medi 1974 cefais fy nerbyn i Brifysgol Bangor i astudio Biocemeg.

Cymru 2

ROEDDWN I YN un o'r myfyrwyr lwcus hynny gyrhaeddodd y brifysgol ym Mangor pan agorwyd Neuadd Gymraeg John Morris-Jones am y tro cyntaf. Yr hen University Hall oedd yr adeilad bryd hynny, a arferai fod yn neuadd breswyl i enethod, ond bellach roedd yn neuadd gymysg i fyfyrwyr Cymraeg yn bennaf. Y warden oedd John Llewelyn Williams, neu John Llew i bawb o'r myfyrwyr, ac allwn ni ddim fod wedi gofyn am unrhyw un gwell i ofalu amdanom. Wrth ddadlwytho geriach gwahanol i'm stafell gyda'm rhieni, fe ddaethom ar draws myfyriwr newydd arall gyda'i rieni, sef y cerddor dawnus Euros Rhys. Yn gynharach yn y flwyddyn roeddwn wedi bod yn yr Ŵyl Ban Geltaidd yn Nantes yn Llydaw ar daith gyda Chymdeithas yr Iaith ac wedi rhannu llwyfan efo Ac Eraill yn gwneud dawns y glocsen. Un o'r aelodau, wrth gwrs, oedd Tecwyn Ifan, brawd Euros Rhys, ac felly ces gyfle i ddod i adnabod myfyriwr newydd arall yn syth. Roedd hyn yn gymaint o ryddhad, gan mai pryder y rhan fwyaf o lasfyfyrwyr yw bod ar ben eu hunain a methu gwneud ffrindiau. Ar ôl ychydig o wythnosau, fodd bynnag, roedd criw Neuadd JMJ yn un teulu mawr, ac fel pob teulu roedd yna berthynas ddigon difyr ac amrywiol rhwng yr aelodau, ond roedd cyfle i bawb leisio eu barn yng nghyfarfodydd rheolaidd yr Ystafell Gyffredin. Er mai ystafell fy hun oedd gen i ar y dechrau, erbyn diwedd y tymor cyntaf roeddwn yn rhannu gyda Huw Gruff o'r Bala a dwi'n siŵr ein bod ni wedi rhoi ambell gur pen i John Llew.

Cael fy nerbyn i astudio Biocemeg wnes i yn wreiddiol,

ond doedd hynny ddim yn apelio a dweud gwir, ac felly wrth gofrestru mi es i'r ciw Seicoleg ac ymbil arnynt i adael i mi astudio Seicoleg gan fy mod yn casáu Cemeg. Gyda lwc, fe gytunodd yr Athro, a dyna fu, gyda Mathemateg a Bioleg fel y pynciau atodol. Yn gynharach yn y flwyddyn roedd Gwyndaf fy mrawd a John Gwyn wedi gadael y grŵp Atgyfodiad a ffurfio Brân gyda Nest Howells yn canu, a'r diweddar Keith Snelgrove ar y drymiau. Yn ystod y tymor cyntaf, penderfynodd Keith adael Brân a chanolbwyntio ar redeg discos – rhywbeth oedd yn tyfu'n aruthrol mewn poblogrwydd yn ystod y 70au. Gan fy mod wedi bod yn chwarae ychydig o ddrymiau yn yr ysgol ac yng Ngherddorfa'r Sir, gofynnodd y grŵp i mi chwarae efo nhw, ac fe werthodd Keith ei ddrymiau i mi er mwyn cael pres i brynu offer disco. Roedd rhaid i mi ymarfer wrth gwrs, ac os oedd gan John Llew gur pen yn dilyn helyntion Huw Gruff a mi, doedd cael set o ddrymiau mewn stafell ar yr un llawr â fflat y warden ddim yn mynd i wella pethau. Ond chwarae teg, yn y diwedd cefais hen storfa cadw cesys ganddo ar gyfer y drymiau, a chyn bo hir roeddwn yn barod am y cyngherddau a'r dawnsfeydd.

Ar ddechrau 1975, penderfynom gystadlu yn *Cân i Gymru*. Roedd Gwyndaf wedi sgwennu cân o'r enw 'Caledfwlch' a dwi'n cofio ymarfer yn nhŷ John Gwyn ym Methesda i drefnu cyfeiliant i'r gân. Roedd hi'n gân eitha acwstig ac roedd Gwyndaf am ganu'r delyn deires, felly penderfynais ddefnyddio'r ffliwt yn hytrach na'r drymiau. Tua deunaw mis ynghynt roedd Nansi wedi dychwelyd o fordaith ar y QE2 i America gyda'i chyfaill, Iona Trevor Jones. Roedd gwneuthurwr telynau o'r enw Myrddin Madog wedi gwneud telyn deires fach iddi yn arbennig ar gyfer y daith, ac ar ôl dychwelyd fe roddodd Nansi y delyn i ni. Roedd hi'n llawer haws i'w chwarae, i'w thiwnio, a'i chario na'r hen un Llanofer, ac felly dyma benderfynu ei defnyddio am y tro cyntaf. Recordiwyd y gân ar gasét yn y tŷ a'i hanfon at y BBC. Ymhen rhai wythnosau daeth y cynnig i fynd lawr i Theatr Felinfach i gystadlu yn *Cân i Gymru* gan fod y gân wedi cyrraedd y rhestr fer. Hywel Gwynfryn oedd yn cyflwyno'r noson, ond dwi ddim yn cofio os oedd y rhaglen yn fyw ai peidio, ond dwi yn cofio teimlo'n trendi iawn gan fy mod wedi cael crys newydd ffasiynol (ar y pryd) efo dail gwyrdd a choleri anferth. Ail oedd y gân ar y noson, ond oherwydd bod y gân a ddaeth yn gyntaf wedi torri un o reolau'r gystadleuaeth daeth 'Caledfwlch' yn gyntaf ac felly aethom ymlaen i Killarney i gystadlu yn y gystadleuaeth Ban-Geltaidd ym mis Mai. Gyrru i lawr i Ddoc Penfro er mwyn cael y fferi i Cork, ac yna dreifio i Killarney. Roedd honno'n antur ynddi'i hun – gweld yr holl arwyddion diarth a cheisio dilyn y map. Roedd criw ffilmio o'r BBC yno, ond roedd y cyfleusterau cefn llwyfan yn neuadd y dref yn affwysol o wael. Pawb yn trio tiwnio mewn un stafell fach a thoiled. Serch hynny, fe aeth y noson yn ddigon hwylus, ac er syndod mawr, fe lwyddon ni i ennill y gystadleuaeth. Yn ôl yng nghefn y llwyfan daeth y grŵp oedd yn cystadlu o Iwerddon atom i gael sgwrs. Holi oeddent a oeddem yn grŵp proffesiynol! Nac oeddem wir, meddwn i, a dyma holi eu hanes nhw. Roeddynt i gyd yn rhan o deulu cerddorol a newydd droi yn broffesiynol, ac enw'r grŵp, Clannad!

Yn ystod y flwyddyn gyntaf yn y coleg roeddwn wedi parhau gyda'm diddordeb mewn rygbi ac wedi cael fy nerbyn i ail dîm y brifysgol, ond fel Cymro Cymraeg roeddwn yn y lleiafrif. Roedd yna lawer mwy o 'Swing Low' nag oedd yna o 'Galon Lân', ac mi roddais y gorau i chwarae nes i dîm gael ei ffurfio gan Y Cymric, y gymdeithas Gymraeg, yn hwyrach ymlaen. Fel arall roedd y flwyddyn gyntaf yn y coleg yn un helbulus braidd gan fy mod wedi cymryd rhan mewn sawl ymgyrch gyda Chymdeithas yr Iaith. Dwi'n credu fod brwydro dros chwarae teg i'r Gymraeg yn Ysgol Uwchradd Tywyn, gyda'm cyfaill Geraint Owain, yn aml yn erbyn y llif, wedi paratoi'r ffordd, a'r teimlad yna o anghyfiawnder ac annhegwch wedi dechrau corddi. Ond doedd y sylw a ddaeth ar y cyfryngau i'r protestiadau a'r arestio ddim wedi gwneud bywyd Dad yn hawdd yn y plwyf. Roedd rhai o selogion yr eglwys yn gwrthod dod i'r gwasanaethau oherwydd yr hyn yr oeddwn i wedi ei wneud, a doedd hynny ddim yn deimlad braf. Fodd bynnag, mi ddaeth Dad i gefnogi criw ohonom yn y Llys yn Nolgellau ar ôl i ni gael ein harestio am dorri i mewn a meddiannu tai haf ym mhentref y Rhiw, ger Llanfrothen. Roeddwn yn falch o'i weld o yna, ac mi wnaeth fraenaru'r tir ar gyfer yr hyn oedd i ddod yn hwyrach yn fy nhrydedd flwyddyn.

Erbyn haf 1975, yn enwedig ar ôl ennill yn Killarney, roedd Brân wedi llwyddo i berfformio mewn nifer o gyngherddau a dawnsfeydd, gan gynnwys yr enwog Twrw Tanllyd ym Mhontrhydfendigaid a nifer o gyngherddau yn yr Eisteddfod Genedlaethol yng Nghricieth. Roeddem hefyd wedi cael gwahoddiad gan Wilbert Lloyd Roberts o Gwmni Theatr Cymru i gymryd rhan mewn sioe i dwristiaid o'r enw *Harping Around* drwy'r haf. Roedd y sioe am redeg am yn ail gydag *Under Milk Wood*, yn Theatr Gwynedd a Theatr Ewynnol, Betws y Coed. Fel myfyrwyr tlawd fe neidion ni ar y cyfle o gael cyflog drwy'r haf. Hanes y Cymry a'r iaith Gymraeg drwy'r oesau hyd at heddiw oedd y sioe yn y bôn, ond roedd yn cynnwys perfformiadau cerddorol yn ogystal â golygfeydd dramatig a naratif. Wrth edrych yn ôl roedd gweddill y cast yn frith o dalentau: Dyfan Roberts, Elfed Lewis, Sioned Williams (y delynores), Brân (John Gwyn, Nest Howells a Gwyndaf), Wmffra (Aled Samuel, Meredydd Morris, Ann Llwyd, Geraint Glynne Davies, Aled Glynne), Rene Griffiths, Cenfyn Evans (o'r Dyniadon Ynfyd Hirfelyn Tesog), a'r Rheolwr Llwyfan, Iestyn Garlick. Gydag enillion yr haf, fe lwyddais i brynu ffliwt newydd Yamaha gan fod yr hen un o'r sir, yr oedd fy rhieni wedi'i phrynu ar ddiwedd cyfnod yr ysgol, mewn stad go druenus erbyn hynny.

Yn ystod Hydref 1975, ar ôl dychwelyd i'r coleg ar gyfer yr ail flwyddyn, daeth cynnig gan gwmni Sain i recordio LP. Roedd Sain newydd agor stiwdio newydd yn Gwernafalau ac LP Brân fyddai un o'r rhai cyntaf i gael ei recordio yno ar y peiriant 8 trac newydd. Roedd hwn yn fyd cynhyrfus, ac roeddwn wrth fy modd. Dyma beth fyddai gyrfa ddelfrydol – gweithio ym myd y theatr a chwarae cyngherddau drwy'r haf, ac yna recordio gyda'r dechnoleg ddiweddaraf. O gofio'n ôl, cyfyngedig iawn oedd y system 8 trac. Roedd rhaid recordio bron popeth yr un pryd – y drymiau i gyd ar ddau drac, un i'r bas, dau i'r gitâr, un trac i unrhyw beth ychwanegol, er mwyn gadael dau drac ar ôl i fownsio popeth i lawr. Roedd hynny wedyn yn rhyddhau'r 6 trac arall eto ar gyfer lleisiau ac unrhyw beth arall, ond doedd dim posib newid y cyfeiliant gwreiddiol. Roedd yr holl system yn ddiarth i ni, fel ag yr oedd i'r peiriannydd ar y pryd, ond roedd yn gyfnod cyffrous o arbrofi. Mae yna nifer o bethau y byddwn yn dymuno eu hail-recordio ar yr albym, ond dyna fo, mae'n siŵr ein bod wedi gwneud y gorau ohoni ar y pryd. Yn dilyn rhyddhau'r LP *Ail Ddechra* fe drefnon ni gyngerdd yn Theatr Gwynedd gyda Sidan, a hwnnw, i mi, dwi'n credu oedd y perfformiad gorau i ni ei wneud, gan geisio perfformio'r rhan fwyaf o'r albym yn fyw. Yna, fel sy'n aml yn digwydd, fe chwalodd y grŵp am fisoedd cyn ailffurfio gydag aelodau newydd y flwyddyn wedyn. Yn ystod yr hydref a'r gaeaf, fodd bynnag, roeddwn yn ôl yn Stiwdio Sain yn eitha aml yn cyfeilio i amryw o artistiaid eraill ar y drymiau neu'r ffliwt gan gynnwys albym gynnar Dafydd Iwan, *Mae'r Darnau yn Disgyn i'w Lle* ac E.P. Elwen Pritchard, ond mae un sesiwn yn sefyll allan yn y cof. Roedd Mynediad am Ddim wedi mynd o nerth i nerth ar ôl ennill yn yr Eisteddfod Ryngolegol yn 1974, a bellach yn dod i Gwernafalau i recordio albym. Dim ond ar ryw bedair cân roedd angen drymiau neu offer taro, ond ar un trac, sef y gân 'Wa Macspredar', roedd angen naws *bluegrass*. Roedd y gân angen yr arddull oedd i'w gael ar fanjo 5 tant a digwydd bod roeddwn i wedi prynu banjo 5 tant yng Nghaerdydd ar un o dripiau rygbi'r coleg, ac felly fe ofynnwyd i mi chwarae'r banjo ar y trac. Wn i ddim sut lwyddodd pawb i ganolbwyntio er mwyn gorffen y trac, yn enwedig pan ddechreuodd Emyr Wyn ganu'r geiriau oedd fel rhyw barodi ar gân Benny Hill, 'Ernie', ac mae ambell gyfraniad byrfyfyr ac annisgwyl i'w glywed yn y recordiad hyd heddiw.

Erbyn gwanwyn 1976, roedd Gwyndaf a fi wedi ffurfio grŵp arall gydag un o gast y sioe *Harping Around* sef Geraint Glynne Davies, a'i frawd hŷn, Gareth. Tân oedd enw'r grŵp byrhoedlog hwn a chwalodd ar ôl un perfformiad ar ryw raglen ar y BBC. Gobeithio i'r nefoedd nad oes copi o'r perfformiad ar gael yn unlle! Roedd Gwyndaf a fi hefyd wedi ailafael yn y telynau, ac wedi bod yn cynnal nosweithiau gydag amryw o gymdeithasau, ac roeddwn innau wedi ailgychwyn clocsio. Roedd yr haf ar fin cyrraedd ac roedd angen meddwl am waith yn ystod y gwyliau. Gan fy mod yn astudio Seicoleg, llwyddais i gael bythefnos o waith yn Llandudno yn edrych ar ôl plant gydag anawsterau dysgu. Prosiect i roi seibiant i'r rhieni yn ystod y dydd dros y gwyliau ym mis Awst oedd o, ond ar ôl derbyn y gwaith daeth galwad ffôn gan Jac Williams, trefnydd Cymru'r Ŵyl Geltaidd yn Lorient yn Llydaw. Roedd Jac yn arfer bod yn Bennaeth Adloniant Ysgafn yn BBC Cymru, ac roedd wedi clywed bod fy mrawd a finnau yn canu telynau – dwi'n credu i ni berfformio ar ryw raglen deledu BBC Wales yn nechrau'r 70au. Roedd Jac yn ceisio cael grŵp gwerin at ei gilydd i fynd draw i Lorient i gynrychioli Cymru a chwarae cerddoriaeth Gymraeg a Chymreig. Doedd neb yn gwneud hynny ar y pryd, ac felly roedd am i Gwyndaf a mi ymuno efo dau arall i greu grŵp. Roedd yr Hennessys newydd chwalu a'r canwr a'r gitarydd Dave Burns yn rhydd, ac roedd ffidlwr ifanc o'r enw Iolo Jones newydd raddio o Rydychen ac wedi bod yn cyfeilio i grwpiau dawns o gwmpas y de. Dyma drefnu felly i fynd lawr i'r de i'w cyfarfod. Y cynllun oedd cyfarfod Iolo yn gyntaf yn ei gartref yng Nghaerffili, ond am ryw reswm roedd hi'n hwyr iawn arnom ni'n cyrraedd a bu'n rhaid i ni fynd mewn i'r tŷ drwy'r ffenest oedd wedi ei gadael ar agor i ni, cysgu a chyfarfod yn y bore! Yna mynd draw i Gaerdydd i gyfarfod Dave. Roedd gan Gwyndaf a fi ganeuon roeddem yn chwarae ar y telynau, a buan iawn y daeth Iolo a Dave i ychwanegu eu hofferynnau at y darnau. Roedd gan Iolo stôr o alawon dawns i ni'n dau roi cyfeiliant iddynt ac wrth gwrs roedd gan Dave lu o ganeuon o *repertoire* yr Hennessys oedd angen ychydig o gyfeiliant. Erbyn diwedd y dydd roedd gennym ni dros awr o ddeunydd ar gyfer y trip i Lorient ym mis Awst.

Roeddwn i wedi mynd i'r Eisteddfod Genedlaethol yn Aberteifi i aros gyda chriw o'r coleg yn ochra Gwbert yn rhywle.

Yna tua diwedd y Steddfod cychwynnodd Gwyndaf a mi am Plymouth yn hen fan Transit goch Brân, gan bigo Dave ac Iolo yng Nghaerdydd ar y ffordd. Rhyw 20 milltir o Plymouth dechreuodd injan y fan fethu, a cholli pŵer, ond llwyddwyd i gyrraedd y cwch mewn pryd, ond roedd y siwrne'r ochr arall yn dechrau edrych yn anobeithiol. Ond ar y fferi, doedd neb i weld yn poeni rhyw lawer am y fan ac aethom ati i drio cael enw i'n grŵp newydd. Iolo gafodd y syniad gorau. Roedd nifer o grwpiau yn Llydaw yn galw eu hunain yn 'Ar ... rhywbeth' gan fod 'ar' mewn Llydaweg yn golygu'r fanod 'y', a chan fod Jac Williams wedi dod â ni at ein gilydd fel rhyw *Rent-a-Group* roeddem wedi ein llogi. A dyna lle ddaeth yr enw Ar Log.

Alla i ddim cofio sut ddois i yn ôl o Plymouth i ogledd Cymru, ond roeddwn rhai diwrnodau yn hwyr i'm gwaith haf yn edrych ar ôl y plant yn Llandudno. Hwn oedd haf poeth 1976 oedd yn teimlo fel na fyddai fyth yn dod i ben, a gymaint wedi digwydd rhywsut. Roeddwn yn gyffrous iawn am y grŵp newydd a sut y byddai'n datblygu, ond buan iawn daeth yr amser i fynd yn ôl i'r coleg i'r drydedd flwyddyn a chanolbwyntio unwaith eto ar fywyd academaidd, oedd ddim am fod yn hawdd ar ôl y profiadau cyffrous yn Llydaw.

Yn ystod yr haf roedd Cymdeithas Gymraeg y Coleg, sef Y Cymric, wedi bod yn llythyru gyda'r Brifysgol i geisio cael mwy o gydraddoldeb i'r Gymraeg, a gwahoddwyd tri aelod o'r Cymric i gyfarfod Cyngor y Brifysgol ym mis Hydref. Ni chafwyd fawr o lwyddiant o'r cyfarfod, dim ond mwy o lusgo traed ac addo sefydlu is-bwyllgor i adolygu'r sefyllfa. Yna, yn ystod etholiadau'r tymor newydd cefais fy ethol yn Ysgrifennydd y Cymric, ac yn ystod y cyfarfodydd roedd yna beth anfodlonrwydd gydag ymateb Cyngor y Brifysgol a Seisnigrwydd cyfundrefn a gweinyddiaeth y coleg. Roedd rhywun wedi darganfod hefyd bod cwota yn bodoli ar gyfer y nifer o Gymry Cymraeg oedd yn cael eu derbyn i'r coleg, tra roedd y coleg, drwy'r system glirio, i weld yn derbyn cannoedd o'r tu allan i Gymru a hynny er bod y coleg wedi ei sefydlu gyda 'cheiniogau prin y chwarelwyr'. Dechreuodd yr hen deimlad yna o anghyfiawnder ac annhegwch gorddi eto. Ar ôl diffyg ymateb gan y Brifysgol, penderfynodd Y Cymric brotestio, gan beintio sloganau ar waliau'r Brifysgol, gan gynnwys yr enwog 'Brad y Brifysgol' (a ddaeth yn gyfarwydd yn ddiweddarach yng nghân Bryn Fôn 'Mardi Gras ym Mangor Uchaf'), tynnu arwyddion i lawr, a meddiannu'r swyddfa weinyddol. Roeddwn i yn un o'r criw oedd yn y swyddfa weinyddol ar y llawr cyntaf ar ryw fore Gwener, a'r bwriad oedd aros yno drwy'r dydd. Doedden ni ddim wedi cynllunio'r peth yn dda iawn, a dweud y gwir. Doedd gennym ni ddim digon o fwyd na diod, dim modd i fynd i'r toiled, na dim byd er mwyn cysgu'r nos, ac felly roedd hi'n amlwg mai dim ond am y diwrnod y byddem yno. Erbyn gyda'r nos, roedd swyddogion y coleg wedi trio pob ffordd i ddod i mewn, ac roeddynt yn disgwyl amdanom y tu allan i'r drws. Doedd dim amdani ond mynd allan drwy'r ffenest. Daeth criw o'r Cymric gydag ysgol i'w rhoi wrth y ffenest, a hefyd i warchod y gwaelod rhag y swyddogion. Aeth pawb i lawr yn ddiogel, ac roedd rhaid i mi dynnu'r rhwystr oedd yn cadw'r drws ar gau cyn rhedeg am y ffenest. Unwaith roedd y rhwystr yn glir clywais y swyddogion yn rhuthro i mewn, ac mi redais fel cath i gythraul at y ffenest, neidio am yr ysgol a llithro i lawr ar ben Glyn Tomos druan, oedd ond hanner ffordd i lawr! Wrth i hynny ddigwydd fe geisiodd un o'r swyddogion daflu'r ysgol yn ôl o'r ffenest ond diolch byth, daeth criw'r Cymric yn nes a dal yr ysgol a'n hamgylchynu ni er mwyn i ni allu diflannu i mewn i'r criw.

Erbyn dydd Llun roedd y coleg wedi penderfynu ceisio rheoli'r sefyllfa, ac fe ddaeth rhybudd fod y pedwar swyddog etholedig o'r Cymric wedi eu diarddel o'r coleg am weddill y flwyddyn academaidd, sef Glyn Thomas, y Llywydd; minnau, yr Ysgrifennydd; Rheon Thomas, y Trysorydd, ac Emrys Wynne, yr Is-ysgrifennydd. Cyn i ni gael cyfle i feddwl sut y byddem yn ymateb i'r Brifysgol, roedd y wasg a'r cyfryngau wedi cael gafael ar y stori ac am ei darlledu'r noson honno. Roedd rhaid, felly, i'r pedwar ohonom ffonio adref er mwyn egluro wrth ein rhieni beth oedd wedi digwydd cyn iddynt weld y stori ar *Y*

Dydd ar HTV. Doeddwn i ddim yn edrych ymlaen at y sgwrs ar y ffôn, yn enwedig ar ôl yr ymateb yn dilyn y protestiadau gyda Chymdeithas yr Iaith yn fy mlwyddyn gyntaf. Y tro hwn, fodd bynnag, roeddynt yn gweld yr annhegwch, ac roedd Dad, fel rheithor yn yr Eglwys yng Nghymru yn meddwl ysgrifennu at yr Archesgob (oedd yn aelod o Gyngor y Brifysgol) i weld os oedd modd iddo ein cefnogi rywsut. Nid oedd pob swyddog wedi cymryd rhan yn y protestiadau, ac felly roeddem yn teimlo fod diarddel swyddogion unrhyw gymdeithas er mwyn cosbi unigolion anhysbys, nid yn unig yn annheg, ond o bosib yn erbyn cyfansoddiad y Brifysgol ac yn anghyfreithlon.

Ein cam cyntaf oedd cael cyngor cyfreithiol ac wrth edrych drwy *Yellow Pages* daethom ar draws enw cwmni cyfreithwyr T. H. Morgan ym Mhorthaethwy oedd yn ymddangos yn Gymreig iawn. Teimlai'r cyfreithwyr mai eu prif ddyletswydd oedd cael y coleg i'n derbyn ni yn ôl fel myfyrwyr cyn gynted â phosib, er ein bod ni yn ceisio rhoi blaenoriaeth i'r achos ac yn teimlo fel ymladd y Brifysgol ar sawl lefel. Wrth edrych yn ôl, roedd cyngor y cyfreithwyr yn gall iawn, gan mai ceisio amddiffyn ein haddysg a'n gyrfa ni yn yr hirdymor oedd eu bwriad a chael y coleg i ildio fesul camau bach. Cawsom gyngor i gadw popeth yn gyfrinachol, 'bod fel wystrys' yng ngeiriau T. H. Morgan, ac i beidio siarad gyda'r wasg am unrhyw ddatblygiadau. Ond er gwaetha'r cyngor, o fewn ychydig o ddyddiau aeth yr holl sefyllfa y tu hwnt i'n rheolaeth ni. Daeth tua 800 o fyfyrwyr o wahanol golegau i'n cefnogi a gorymdeithio drwy strydoedd Bangor, a daeth Dafydd Iwan i annerch pawb yng nghwad y coleg. Meddiannodd gweddill aelodau'r Cymric adeilad y Celfyddydau, a chwarae teg, meddiannodd criw o Undeb y Myfyrwyr y bloc Mathemateg. Cawsom gannoedd o lythyrau o gefnogaeth, a dangosodd nifer o academyddion, gwleidyddion ac aelodau amlwg a pharchus gwahanol sefydliadau Cymru eu hanfodlonrwydd gydag ymddygiad y Brifysgol.

Daeth neges o gefnogaeth gan Undeb Prifysgol Lerpwl, ond mewn cyfarfod o Undeb y Myfyrwyr ym Mangor, ar ôl pasio pleidlais i gefnogi gwrthryfelwyr arfog yn Nicaragua,

TŶ'R CYFFREDIN
LLUNDAIN

HOUSE OF COMMONS
LONDON SW1A OAA

21 Ionawr, 1977

Y Br. Dafydd Meirion,
Kheithordy,
Llwyngwril,
Gwynedd.

Annwyl Dafydd Meirion,

Amgaeaf gopi o lythyr 'sebonllyd' a anfonais i Syr Charles Evans
rhag ofn y bydd raid imi ymyrryd gydag o rywbryd yn y dyfodol.

'Roeddwn yn hynod falch am ganlyniad gweithredu'r Cymric a
ddangosodd yn gryf fod yn rhaid i unrhyw sefydliad Prydeinig
ildio i rym cyfiawnder trefnus.

Cofion cywir,

Dafydd Elis Thomas

a/r Dafydd Elis Thomas, A.S.

AMG.

Swyddfa'r Etholaeth :
Constituency Office :
  Tŷ Gwril
  Dolgellau
  Gwynedd
  Ffôn: Dolgellau 422 661

Llythyr o gefnogaeth gan Dafydd Elis Thomas A.S. i'n hymgyrch.

collwyd y bleidlais i gefnogi ymgyrch y Cymry gyda brwshys paent! Roedd hyn yn rhwystredig iawn, ond nid yn annisgwyl. Mae'n ddigon hawdd cefnogi rhyw ymgyrch neu brotest ar ochr arall y byd, ond mater gwahanol yw cefnogi rhywbeth ar eich stepan drws eich hun. Roedd cefnogaeth y myfyrwyr o weddill colegau Cymru yn golygu llawer mwy i ddweud y gwir, a gan fod y gefnogaeth yna mor gryf, doeddwn i yn bersonol ddim yn poeni yn ormodol am ganlyniad yr ymgyrch.

Roedd y pedwar ohonom yn gwbl hyderus fod y Brifysgol wedi ymddwyn yn anghyfansoddiadol, ac roedd y cyhoeddusrwydd a ddaeth yn sgil y protestiadau wedi dangos pa mor Seisnig oedd gweinyddiaeth y coleg, ac i raddau fod yna gyfiawnhad i'r gweithredoedd.

Cyn hir daeth gorchymyn i fynd o flaen Panel Disgyblu'r Brifysgol a daeth Meirion Jones, un o gyfreithwyr T. H. Morgan efo ni, ac mae'n rhaid i mi ddiolch i Meirion am ei waith, nid yn unig gyda'n hymgyrch ni, ond sawl tro wedyn, pan ailgodwyd y protestiadau. Roedd y panel yn cael ei gynnal drwy'r Saesneg yn unig dan arweiniad Syr Charles Evans, y Prifathro ar y pryd, ond roeddem wedi paratoi datganiad yn y Gymraeg. Gwrthododd Charles Evans i ni ddarllen y datganiad yn Gymraeg, ond fe'n cynghorwyd gan Meirion i barhau yn y Gymraeg, a dyna wnaethom. Roedd hi'n amlwg fod Syr Charles Evans yn berson styfnig, ac mi gawsom yr argraff ei fod yn wrth-Gymreig iawn. Roedd ei ymdrech aflwyddiannus ar Everest o bosib wedi ei suro, ond doedd dim esgus am yr agwedd wrth-Gymreig. Cafodd y Brifysgol Orchymyn Llys i ailfeddiannu'r coleg, ond cryfhau wnaeth y gefnogaeth yn genedlaethol ac yn raddol dros yr wythnosau, rhwng y cyfreithwyr a dau o aelodau Cyngor y Coleg yn arbennig, oedd yn Gymry pybyr, sef O. V. Jones yr Obstetregydd, a'r Gwir Barchedig G. O. Williams, Archesgob Cymru, daeth cyfaddawd. Pe byddem yn addo ymatal rhag gweithredu yn erbyn y coleg, yna byddai'r coleg yn codi'r gwaharddiad. Roedd rhaid i Gymdeithas y Cymric hefyd ymatal rhag gweithredu yn y dyfodol, ond yn ystod yr wythnosau dilynol, penderfynwyd chwalu'r gymdeithas gan sefydlu undeb Cymraeg, sef Undeb Myfyrwyr Colegau Bangor – doedd dim gwaharddiad ar hwnnw!

Cafodd y pedwar ohonom ein derbyn yn ôl i'r coleg ar gyfer dechrau'r tymor ym mis Ionawr 1977, ar ôl colli 10 wythnos. Rhywsut doedd hi ddim yn teimlo fel buddugoliaeth fawr i mi, gan fod Syr Charles Evans yn parhau i fod yn wrth-Gymreig, ac roedd gweinyddiaeth y coleg yn parhau i fod yn Seisnig, ond o leiaf roedd Cyngor y Coleg bellach yn cadw llygad ar y sefyllfa, ac yn gwybod y byddai mwy o brotestiadau yn siŵr o ddigwydd pe na byddai yna unrhyw newid, ac roedd hynny'n galonogol. Cefais alwad i fynd i weld yr Athro Seicoleg, T. R. Miles, er mwyn trafod fy nghwrs, ac er mawr syndod i mi, fel athronydd a seicolegydd roedd ganddo fwy o ddiddordeb yn y rhesymeg a'r cymhelliant y tu ôl i'r gweithredu yn hytrach na dim arall. Doedd y ffaith y byddai rhywun yn barod i frwydro dros ei iaith, er y risg i'w yrfa erioed wedi croesi ei feddwl, a dwi'n credu fod yr holl ymgyrch wedi gwneud i ambell ddarlithydd sylweddoli mai prifysgol yng Nghymru oedd Bangor. Rhoddodd bob cymorth posib i mi ddal i fyny gyda nodiadau, ac yna dweud mai dyna oedd diwedd y mater, ac roeddwn yn ddiolchgar iawn iddo am hynny.

Roedd hi'n gyfnod 'pen i lawr' wrth gwrs wedi hynny, gan fod arholiadau gradd ar y gorwel, ac roedd rhaid hefyd meddwl am y cam nesaf petawn i'n llwyddo i raddio ai peidio. Gwneud cais ar gyfer ymarfer dysgu oedd y dewis amlwg, gan y byddai hynny'n gohirio unrhyw benderfyniad go iawn am tua blwyddyn arall. Dydwi ddim yn credu 'mod i'n *procrastinator* go iawn, ond dwi'n siŵr ei fod o yn un o nodweddion *Gemini*! Mi lenwais y ffurflenni beth bynnag ac mi gefais ddyddiad ar gyfer cyfweliad. Bob hyn a hyn hefyd, byddai cais yn dod i Ar Log berfformio mewn rhyw ddigwyddiad gan Fwrdd Croeso Cymru. Rhaid dweud fod Emyr Griffiths, Pennaeth Bwrdd Croeso Cymru'r adeg hynny, wedi bod yn gefnogol iawn yn nyddiau cynnar y grŵp. Doedd neb llawer yn gwybod am ein bodolaeth, wrth gwrs, ond roedd Emyr wedi sylweddoli fod gennym yr elfennau hynny fyddai'n ddelfrydol ar gyfer ffeiriau masnach twristiaeth a derbyniadau corfforaethol; telynau, dawns y glocsen, caneuon ac alawon gwerin, a ffordd arbennig gan Dave Burns i drin cynulleidfa gyda'i gyflwyniadau doniol, ac ambell gân o gyfnod yr Hennessys i gynrychioli bywyd y Cymry di-Gymraeg. Daeth un cynnig ar gyfer digwyddiad ar y cyd gydag Aer Lingus yn Llundain, gan berfformio mewn derbyniad i Wyddelod ac aros yn y London Tara Hotel yn Kensington. Aeth y noson yn dda, ond dwi'n cofio deffro'r bore wedyn am tua 9.30 yn y gwesty a chofio'n sydyn fod gen i gyfweliad ar gyfer Ymarfer Dysgu ym Mangor am 10.00! Roeddwn yn teimlo braidd yn ddrwg am y peth, ond rhywsut doeddwn i ddim yn poeni yn ormodol chwaith. Mi ffoniais i ymddiheuro gyda rhyw esgus gwan iawn, ac ar ôl dychwelyd i'r coleg, trefnais gyfweliad arall. Yn y cyfweliad hwnnw daeth y cwestiwn amlwg 'Ydach chi wir isho bod yn athro, neu ydi'r grŵp 'ma'n bwysicach?' Dwi ddim yn siŵr am faint wnes i oedi cyn ymateb, ond oedi er mwyn smalio ei fod yn benderfyniad anodd oedd o, cyn cadarnhau eu bod nhw'n iawn, a chanslo'r holl syniad o fynd yn athro. Daeth yr arholiadau, daeth fy mhrosiect ymarferol a'r traethawd hir (*Dreaming in Patients with Psychotic Depression*), a daeth y radd yn y diwedd, ond doedd dim gobaith y byddwn yn barod i ysgwyd llaw'r Prifathro Syr Charles Evans yn y seremoni raddio.

Llydaw a Ffrainc

YR UNIG SÔN am Lydaw pan oeddwn yn blentyn oedd bod cyfnither i Dad wedi bod yno ar wyliau ac wedi dod â bathodyn o Dinard yn ôl efo hi fel anrheg i mi ei wnio ar y *duffel bag* oedd gen i. Roedd gan bob plentyn un o'r rhain er mwyn cario cit chwaraeon i'r ysgol, a'r arferiad oedd gwnio cymaint o fathodynnau â phosib arnynt, i ddangos eich bod wedi teithio'n helaeth. Doedd gen i ddim syniad ble'r oedd Dinard, ond roedd Llydaw yn swnio'n ddifyr, ac yn ddiweddarach fe ddysgodd Nansi alaw i ni o'r enw Llydaw, gan ddweud mai hen alaw werin oedd hi, oedd bellach wedi ei haddasu yn emyn-dôn. Pan oeddwn yn ddeunaw, daeth cyfle o'r diwedd i fynd i Lydaw, efo trip Cymdeithas yr Iaith i'r Gyngres Geltaidd yn Nantes neu Naoned. Roedd tri llond bws wedi ei drefnu, ac felly, ar ôl bod yn campio yn yr Eisteddfod Genedlaethol yng Nghaerfyrddin yn 1974, dyma ymuno ag un o'r bysiau ym Mhorthmadog. Dwi ddim yn cofio llawer am y daith – blinder ar ôl yr Eisteddfod o bosib, ond dwi yn cofio'r bwrlwm ar ôl cyrraedd. Roedd nifer o berfformwyr o Gymru yno hefyd, Meic Stevens, Olwen Rees, Sidan, ac roedd Ac Eraill wedi gofyn i Gwyndaf ganu'r delyn fach efo nhw a minnau i wneud dawns y glocsen. Roedd hi'n noson gynnes, braf a'r cyngerdd yn yr awyr agored yn y Château des ducs de Bretagne, sef castell Nantes. Roedd o'n fyd arall, a minnau'n teimlo rhyw ryddid diofal ar ôl gadael yr ysgol. Ar ôl perfformiadau'r gwledydd eraill, roedd offerynwyr a chantorion o Lydaw yn cymryd y llwyfan ar gyfer y *Fest-Noz* oedd yn rhywbeth hollol hypnotig. Yn aml iawn dim ond tri pherson yn canu neu weithiau gyda *bombard* neu *biniou* a'r cwbl yn mynd ymlaen tan yr oriau mân. Roeddwn wedi cael fy hudo gan y wlad, y traddodiadau a'r bobl, felly pan ddaeth cyfle ymhen dwy flynedd i fynd yn ôl i Lydaw, i Ŵyl Lorient, doedd dim rhaid gofyn dwywaith.

Cael a chael oedd hi i gyrraedd y fferi yn Plymouth gan fod hen fan *Transit* Brân yn dechrau chwythu ei phlwc. Araf iawn oedd y siwrne wedyn o Roscoff ond mi lwyddon i gyrraedd Lorient yn hwyr iawn yn y diwedd, er nad doedd dim gobaith y byddai'r fan yn mynd modfedd yn bellach. Deffro'r bore wedyn i sŵn pibau ymhobman. Roeddem wedi cael ein rhoi mewn rhyw *dormitory* gyda llwythi o fandiau *bagpipes* o'r Alban ac Iwerddon, ond wedi meddwl, dyna oedd yr ŵyl – Le Festival Interceltique des Cornemuses de Lorient – sef Gŵyl Geltaidd y pibau. Erbyn hyn mae'r holl ddyddiau yn yr ŵyl wedi toddi'n un, ond mae gen i ambell ddarlun o ddigwyddiadau unigol yn fy mhen. Roedd criw ffilmio o BBC Cymru yno hefyd, a dwi'n cofio gwneud Dawns y Glocsen ar y stepiau y tu allan i'r Palais De Congress, ac yna mynd i lan môr i ffilmio cân. Roeddem wedi mynd â'r hen delyn deires Llanofer efo ni i Lydaw, ac mewn un cyngerdd i lawr yn y Port du Peche dwi'n cofio un o gynorthwywyr yr ŵyl, oedd ymhell dros chwe throedfedd, yn cario'r delyn fregus uwch ei ben drwy'r gynulleidfa i'r llwyfan. Roeddwn i y tu ôl iddo yn trio ymladd fy ffordd drwy'r dyrfa, a dim ond yn gallu dilyn y delyn oedd i'w gweld yn hedfan uwchben pennau pawb. Roedd ein cyngerdd cyntaf swyddogol yn y Palais – slot o ryw hanner awr cyn i'r prif artistiaid ymddangos, sef y Dubliners. Yn ystod y pnawn, roeddem wedi bod yn ymarfer ychydig mewn bar y tu allan i ryw westy, ac ar ôl i'r gweddill ohonom fynd daeth John Sheahan o'r Dubliners i lawr at Iolo. Roedd y grŵp yn aros yn y gwesty ac roedd o wedi clywed y gerddoriaeth drwy'r ffenest. Roedd o'n amau ei fod yn gerddoriaeth Geltaidd ond yn methu ei adnabod fel rhywbeth o Iwerddon na'r Alban. Fe eglurodd Iolo mai cerddoriaeth Gymreig oedd o, ac mi roedd wedi rhyfeddu. Ar ôl y cyngerdd daeth y Dubliners atom a'n hannog ni i barhau fel grŵp ar ôl yr ŵyl, gan nad oedd neb arall yn chwarae'r gerddoriaeth yma, a bod o angen iddi gael ei chlywed – doedd dim gwell anogaeth na hynny. Daethom ar draws grŵp o'r Alban hefyd, o'r enw Ossian. Roeddynt yn debyg iawn i ni – dau frawd, un yn canu'r delyn a'r llall yn canu'r ffliwt, un ar y ffidil ac un yn canu ac yn chwarae'r gitâr. Roeddynt wedi cychwyn tua blwyddyn cyn Ar Log, yn teithio yn llawn amser ac roeddynt yn gwerthu LPs ar ôl eu cyngherddau, ac felly os oeddem am barhau fel grŵp roedd rhaid i ni feddwl am wneud rhywbeth tebyg.

Erbyn diwedd yr ŵyl roedd yn rhaid i ni feddwl sut yr oeddem am gael y fan yn ôl i Gymru. Roedd garej yn Lorient wedi edrych ar yr injan, ac erbyn hyn roedd y rhan fwyaf mewn darnau ar y sedd blaen, a doedd dim amheuaeth fod angen un newydd. Fe drefnodd Jac Williams, sef Trefnydd Cymru'r ŵyl, i rywun o bwyllgor Gŵyl Lorient i dowio ni'r holl ffordd o Lorient i Roscoff, sef taith o dros gant o filltiroedd. Erbyn roedd hi'n amser gadael Lorient, doedd dim golwg o'r gŵr, ond dyma ddod o hyd iddo yn y diwedd mewn bar! Roedd o'n mynnu y byddai'n iawn, ond roedd gennym amheuon cryf am ei allu i yrru erbyn hyn. Ta waeth, fe glymodd rhyw far hir yng nghefn ei gar gyda chadwyni ac yna'r pen arall ym mlaen y fan gyda mwy o gadwyni. Doedd yr holl beth ddim yn edrych yn arbennig o saff i ddweud gwir, ond i ffwrdd â fo, a ni wrth ei gwt, yn anghyfforddus o agos ac yn llawer rhy gyflym. Roedd rhaid i ni stopio sawl gwaith i ofyn iddo arafu, gan fod y cadwyni weithiau'n llusgo'r llawr, ac roeddem yn poeni os byddai'r gadwyn ochr y car yn torri a'r polyn metal yn taro'r ddaear, yna byddai'r pen arall yn siŵr o ddod fel bollten drwy flaen y fan. Ac wrth gwrs, mi dorrodd y gadwyn unwaith, ond ochr y fan diolch byth! Rhywsut neu'i gilydd, fe lwyddom i gyrraedd y fferi yn Roscoff a gwthio'r fan ymlaen gan wybod y byddai'n rhaid gwneud yr un fath yr ochr arall yn Plymouth.

Fe lwyddodd anogaeth y Dubliners i'n perswadio i roi cynnig ar deithio'n llawn amser, ac yn Ionawr 1978 daeth y cynnig ar gyfer ein taith broffesiynol cyntaf, a hynny yn Llydaw. Pythefnos gyda'r canwr Gweltaz, wedi ei drefnu gan

Diwan, sef y mudiad ysgolion Llydewig, o gwmpas y wlad. Does gen i ddim llawer o gof o'r nosweithiau unigol, mae'r cwbl fel un don o ganu, dawnsio a lletygarwch, ble roedd amser yn golygu dim, ond dwi yn cofio bod yn sâl fel ci un noson ar ôl bwyta wystrys, er bod yna 'r' yn y mis! Bu sawl taith ers hynny, a hefyd sawl ymweliad â'r Ŵyl yn Lorient. Roedd un cyngerdd yn rhywle yn Llydaw ble'r oeddem yn chwarae mewn theatr gyda'r Chieftains. Roeddwn wedi clywed am eu hanes a'u poblogrwydd yn America, ac fel roeddynt wedi troi'n broffesiynol, ac yn methu meddwl sut oedd rhywun yn gallu bod yn 'chwaraewr Bodhran proffesiynol', nes i mi glywed Kevin Conneff yn chwarae. Fe wnaeth solo bach yn ystod un darn, ac roedd y rhythmau a'r synau roedd o'n gael o'r drwm bach syml yn anhygoel. Wrth gwrs, roedd pob un yn feistr ar ei offeryn, fel oedd enw'r grŵp yn awgrymu. Bron i mi roi'r gorau i'r ffliwt ar ôl clywed Matt Molloy yn chwarae – sut a phryd oedd o'n anadlu? Paddy Moloney ar yr *Uillean Pipes* yn amlwg oedd yr arweinydd, ond doedd dim posib cael trefn ar Derek Bell, y telynor. Roedd y diweddar Derek Bell yn athrylith ac yn feistr ar sawl offeryn, ac wedi bod yn delynor gyda Cherddorfa Gogledd Iwerddon y BBC. Roedd hefyd yn dipyn o ecsentrig, yn ddyn byr gyda sbectol oedd gwastad yn gwisgo siwt, crys a thei, oedd yn edrych yn chwithig rhywsut mewn grŵp gwerin. Roedd o wedi cael ychydig yn ormod o win coch yn ystod yr hanner cyntaf, ac ar ôl i weddill y grŵp adael y llwyfan cyn yr egwyl, fe barhaodd Derek i ganu'r delyn, nes yn y diwedd roedd rhaid i reolwr y llwyfan gau'r llenni tra roedd o'n dal yn chwarae. Wrth i'r llenni ddod at ei gilydd, fe weiddodd Derek drwy'r hollt yn y canol 'Musique pour l'intervalle' a pharhau i chware nes iddo gael ei lusgo oddi ar y llwyfan gan weddill y grŵp!

Yn ystod yr 80au roedd gennym daith o tua phythefnos yn Llydaw ac yna taith o tua chwe wythnos yn yr Almaen. Gan mai asiantaethau gwahanol oedd yn gyfrifol am y teithiau yn y gwledydd gwahanol, byddai hyn yn aml, yn ein gadael gyda diwrnodau rhydd wrth deithio o un wlad i'r llall. Roedd rhaid gyrru felly o Lorient i Frankfurt, sef taith o tua 1000 o filltiroedd, a'r ffordd amlwg fyddai drwy Baris. Gan nad oedd gennym frys mawr, fe benderfynon ni beidio cadw at y draffordd, ond yn hytrach mynd drwy'r wlad i'r gogledd o Baris. Roedd hi tua chwech neu saith o'r gloch y nos a phawb eisiau bwyd, ond roedd niwl trwchus wedi dod lawr dros yr ardal i gyd, a ninnau erbyn hyn, sy'n anodd ei gyfaddef, ar goll. Doedd unman yn gwneud synnwyr yn ôl y map oedd gennym ni – o am *sat-nav* yr adeg hynny – ond yn y diwedd fe welon ni rhyw olau gwan yn y pellter. Dyma anelu ato a gweld mai bwyty bach oedd o yng nghanol rhyw bentref bach diarffordd. Dyma fynd mewn a chael bwrdd. Doedd y lle ddim yn brysur iawn, ond roedd un bwrdd anferth gyda theulu mawr o'i amgylch yn amlwg yn dathlu rhywbeth. Ar ôl i ni gael bwyd, daeth un o'r gweinyddion a chacen allan i'r bwrdd mawr, ac erbyn gweld pen-blwydd un o'r genethod oedd yr achlysur. Aeth Graham i'r fan i nôl ei ffidil, a dod nôl a chychwyn chwarae pen-blwydd hapus iddi hi o gwmpas y bwrdd fel rhyw drwbadŵr. Roedd y teulu wrth eu bodd. Yna aeth Geraint i nôl ei gitâr, mi es i nôl y ffliwt, a Gwyndaf y delyn fach. Bob tro roedd offeryn arall yn cyrraedd roedd y teulu yn gwirioni. Ar ôl chwarae am tuag awr, roedd hi'n amser meddwl am ble yr oeddem am gael gwesty'r noson honno, ond doedd dim rhaid i ni boeni. Ar ôl i'r teulu mawr adael, daeth y gweinyddion atom a chynnig lle i ni aros ar draws y ffordd yn eu tŷ nhw, ac ar ben hynny doedd dim rhaid i ni dalu ceiniog am ein bwyd na diod. Roedd y niwl dal yn drwchus y bore wedyn, ond yn y diwedd fe lwyddom i ddod o hyd i un o'r priffyrdd ac anelu am Reims. Duw â ŵyr ble'r oedd y pentref bach yna – dwi ddim yn credu gwnawn ni byth ddod o hyd iddo eto.

Yn ystod y 90au, a minnau bellach yn gweithio i Ffilmiau'r Nant yng Nghaernarfon, daeth cyfle i gynhyrchu rhaglen ddogfen ar y pedwarawd llinynnol 'Ludwig' o Baris. Roedd un feiolinydd yn Gymraes o'r enw Elenid Owen, ac roeddwn wedi cael comisiwn i olrhain ychydig o hanes y pedwarawd, a'u perffformiadau. Roedd hyn yn golygu treulio rhywfaint o amser ym Mharis yn trefnu a pharatoi ar gyfer y ffilmio. Mae'r heddlu ym Mharis yn gallu bod yn llym iawn o ran yr hawl i ffilmio ar y strydoedd, ac roedd angen caniatâd wedi ei stampio gan swyddfa'r heddlu ym mhob un o'r rhanbarthau neu *arrondissements* y bwriedid ffilmio ynddynt, ac yna gan bencadlys yr heddlu ym Mharis. Er yn boen, mi roedd yn ffordd dda iawn i ddod i adnabod y ddinas, ac felly hwyluso'r ffilmio pan oedd y criw yn cyrraedd, ond mae angen corn uchel a llygaid yn eich pen-ôl os ydych am yrru o amgylch cylchdro yr Arc de Triomphe!

Fel arall, mae atgofion am wyliau yn Llydaw a Ffrainc gyda'r teulu yn rhai pleserus iawn, boed yn Perpignion gyda Siân ac Elis a Mei, neu ar y Côtes de Granit Rose yn Perros Guirec, gyda Heledd, Elain a'r hogiau. Ychydig dros ddyflwydd a hanner oedd Heledd, ag Elain bron yn ddeunaw mis ac yn byw ar fara Ffrengig a *Marmite*. Roedd tripiau i'w cael ar gychod o gwmpas yr ynysoedd ac fe aeth Elis a Mei a mi, gyda Heledd mewn un o gadeiriau'r car, ar un o'r tripiau. Ar ôl glanio ar un ynys, daeth y cwch i'n nôl ni ar ôl rhyw ugain munud i fynd â ni yn ôl, ond roeddem awydd ychydig mwy o amser, ac felly dyma benderfynu aros am y cwch nesa. Fe ddaeth hwnnw mewn rhyw ugain munud arall, ac ymlaen â ni, gyda Heledd bellach yn cysgu yn y gadair. Ond ar ôl ychydig dyma ni'n sylweddoli ein camgymeriad. Cwch ar gyfer trip arall oedd hwn, a doedd o ddim wedi cychwyn o'r un porthladd, ac felly fe lanio ni mewn rhyw borthladd arall rhyw 20 milltir i ffwrdd o'n car, gyda Heledd erbyn hyn wedi dechrau crio ac isio bwyd. Doedd ffonau symudol ddim yn gyffredin yr adeg hynny wrth gwrs, a dim modd ffonio'r gwersyll ble roedd Siân ac Elain. Ar ôl crwydro'r cei, yn y diwedd fe welon ni 'Rep' o un o'r teithiau cychod ac egluro ein helynt. Dwi'n meddwl iddi dosturio dros dad gwbl anghyfrifol ac fe aeth â ni yn ei char – y lleiaf welsoch chi erioed – yn ôl i'r porthladd arall at ein car ni.

Dwi ddim wedi bod yn ôl i Lydaw ers hynny! Ond dwi wedi bod yn ôl i Ffrainc sawl gwaith, i'r hyfryd Côtes d'Azur a'r enwog Cannes, ond nid i'r ŵyl ffilmiau enfawr. Wrth weithio yn y diwydiant teledu, daeth cyfle unwaith i fynd i ffair fasnach Mipcom yn y Palais de Congress yn Cannes, ond roeddwn yn gweld yr holl beth yn *cliquey* iawn, a phawb yn warchodol iawn o'u syniadau ac yn amheus o'i gilydd. Roedd Midem fodd bynnag yn hollol wahanol. Hon yw'r ŵyl a'r ffair fasnach i'r diwydiant cerdd yn Cannes, oedd yn arfer cael ei chynnal ddiwedd Ionawr. Ar ôl i mi gychwyn yn Sain yn 2004 roedd hwn yn achlysur blynyddol pwysig. Yma roedd pob math o gerddoriaeth, o bron i bob gwlad yn y byd, yn cael ei chynrychioli, ac yn gyfle gwirioneddol wych i drafod allforio a thrwyddedu ein cerddoriaeth i wledydd a labeli eraill. Ers rhyw dair blynedd bellach mae'r ŵyl wedi symud i ddechrau Mehefin, sy'n bechod, gan nad yw hi mor gyfleus, ac mae Cannes yn llawer drytach yn yr haf! Ond am y deuddeg mlynedd y bûm yno gyda chriw Sain, ac ambell un o'n hartistiaid, roedd yn gyfle gwych i fagu cysylltiadau rhyngwladol a chreu perthynas gyda nifer o arbenigwyr y diwydiant, yn ogystal â dysgu am y datblygiadau a'r tueddiadau diweddaraf. Os daw'r cyfle i chi ymweld â Cannes unrhyw bryd, ac isio pryd o fwyd bendigedig mewn bwyty bach teuluol, yna chwiliwch am Le Petit Lardon ar stryd Rue du Batéguier neu os am fwyd Eidalaidd, Restaurant La Libera ar stryd Rue du Commandant André. Dyna ddigon o son am fwytai dwi'n credu, neu bydd hwn yn dechrau troi yn *travel guide*!

Gwlad Belg a'r Iseldiroedd

DWI'N WEDDOL SICR mai gwyliau yn Ostend pan oeddwn tua 8 oed oedd y gwyliau tramor cyntaf i ni ei gael fel teulu. Roedd cael croesi'r sianel yn antur, er bod y cwbl wedi ei drefnu fel rhan o becyn gwyliau, a oedd yn dechrau dod yn boblogaidd yng nghanol y 60au. Ymuno â choets rhywle yn Lloegr a phawb yn teithio gyda'i gilydd, gyda thywysydd yn egluro beth i'w wneud mewn gwlad dramor. Dwi'n siŵr ein bod wedi gwneud yr holl weithgareddau twristaidd, gan gynnwys tripiau i Ghent a Brugge, sydd yn drefi hynod o brydferth, a Brwsel dwi'n credu, gan fod gen i gof plentyn o ryfeddu at yr holl siopau yn gwerthu modelau o hogyn bach yn pipi, sef y *Maneken Pis*. Ond un peth sy'n aros yn y cof yw rhai o'n cyd-deithwyr o Swydd Efrog yn cwyno fod y roliau bara yn galed amser brecwast, a bod pot o de i ddau wedi costio tua 120 o *Belgian Francs* oedd cyfwerth ag 16 swllt yn yr hen arian. Byddai hynny fel talu £20.00 am bot o de i ddau heddiw! Mae gen i gof o fynd 'ar goll' hefyd ar hyd strydoedd Ostend, er yn fy meddwl bach i ar y pryd, 'doeddwn i ddim 'ar goll'. Roeddwn i yn gwybod yn iawn ble roeddwn i, chwith, dde, chwith, chwith, dde a byddwn yn ôl yn y gwesty. Wedi mynd i chwilio am gap llongwr mewn rhai o'r siopau *souvenir* oeddwn ond doedd neb arall yn gwybod ble ro'n i. Dyma gael ordors wedyn i beidio gwneud hynny fyth eto. Dwi'n cofio rasio gyda fy mrawd hefyd mewn *go-karts* gyda

39

phedalau, ar hyd yr Esplanade, ac wrth fynd yn rhy gyflym, troi drosodd, a llewygu. Roedd fy rhieni wedi dychryn, ond mi roeddwn i'n teimlo'n iawn ar ôl i'r synhwyrau ddod yn ôl. Dyma'r tro cyntaf i mi gofio profi'r busnes llewygu 'ma, ond mi gymerodd bron i 50 mlynedd arall cyn darganfod beth oedd yn achosi'r broblem.

Daeth Ostend, fodd bynnag, i fod yn borthladd a dinas gyfarwydd iawn wrth i'r teithiau dramor gychwyn gydag Ar Log. Yn ystod y 70au, roedd nifer o grwpiau o Iwerddon a'r Alban yn teithio'n gyson ar y cyfandir, yn enwedig yng Ngwlad Belg, Yr Iseldiroedd a'r Almaen gan fod cerddoriaeth gwerin Geltaidd yn hynod o boblogaidd ar y cyfandir. Yn 1978, wrth i ni ddechrau ymgeisio gwneud bywoliaeth yn teithio, cawsom arweiniad gan chwaraeydd gitâr *ragtime* o Lanbedr Pont Steffan o'r enw John James. Roeddem wedi ei gyfarfod mewn cyngerdd ym Mhrydain ac awgrymodd i ni gysylltu gydag asiant yng Ngwlad Belg o'r enw Leon Lamal. Roedd John yn teithio'n aml ar y cyfandir ac roedd o hefyd am ysgrifennu at Leon i'w annog i'n cymryd ar daith fechan. Chwarae teg, daeth Leon yn ôl atom a chynnig slot byr ar bnawn Sul mewn gŵyl ym Mrwsel. Doedd dim llawer o arian, os o gwbl, yn rhan o'r peth ond roedd yn gyfle i ddangos i'r asiant ein bod, gobeithio, yn ddigon da i gael taith ganddo.

Roedd hen fan *Transit* goch Brân wedi chwythu ei phlwc erbyn hyn ac felly, fe fenthycodd Dad ei gar *estate* i ni fynd draw – drwy Dover ac Ostend i Frwsel am y pnawn ac yna yn ôl adra. Gan fod pedwar ohonom yn y car, roedd rhaid rhoi'r delyn deires ar rac y to, ac felly mi wnes i adeiladu *flightcase* pwrpasol, sydd, gyda llaw, yn dal gen i, ac wedi teithio'r byd erbyn hyn, ond bellach yn rhy drwm i fynd ar unrhyw awyren.

Roedd Leon yn yr ŵyl yn gwrando, ac ymhen ychydig daeth cynnig ganddo i wneud taith bythefnos yng nghlybiau gwerin Gwlad Belg gydag ambell un yn yr Iseldiroedd. Dau amod oedd gan Leon. Un – bod gennym fan ddibynadwy i deithio, a dau – bod gennym ein system sain ein hunain. Doedd gennym ni 'run o'r ddau beth yn anffodus. Felly, dyma gychwyn chwilio am fan a chael hyd i *crew bus* Sherpa yn Nolgellau a'i haddasu i fod yn fan i'r grŵp gan dynnu'r meinciau allan a rhoi sedd ddwbl o ryw hen goets i mewn. Ond roedd system sain yn dal yn broblem. Cytunodd Leon y byddai'n trefnu rhywbeth gyda'r clybiau am y tro, ond roedd y ffaith ein bod yn gallu cyrraedd pob man yn brydlon a chael sŵn da yn hollbwysig i'w hygrededd o fel asiant.

Roeddem yn aros mewn tŷ mewn pentref yng nghanol y wlad yn Fflandrys, a byddai artistiaid eraill oedd ar lyfrau Leon hefyd yn aros yna pan oeddynt yn teithio yn yr ardal. Un o'r grwpiau oedd yno am ran o'r amser efo ni oedd Ossian o'r Alban, sef y grŵp wnaethon ni gyfarfod yn Lorient yn 1976. Roedd Ossian wedi bod yn teithio'r cyfandir ers cwpl o flynyddoedd, ac felly, wrth rannu llety roeddem hefyd yn gallu rhannu profiadau a dysgu llawer ganddynt am y sin yn Ewrop a gyda phwy y dylwn gysylltu wrth deithio mewn gwledydd eraill. Mi gymrodd hi rhai diwrnodau i setlo i'r patrwm o fod 'ar daith' yn llawn amser. Codi erbyn diwedd bore, cael rhywbeth i'w fwyta, ymarfer ychydig, teithio i'r lleoliad, *soundcheck*, disgwyl, perfformio, pacio, teithio'n ôl a chyrraedd gwely erbyn tua 1.00 neu 2.00 o'r gloch y bore. Roedd o'n fywyd eitha od, ac mi roeddwn yn teimlo braidd yn rhwystredig bod dim llawer i'w wneud yn ystod y dydd. Roedd tir gwastad Fflandrys ym mis Tachwedd hefyd yn denu niwl trwchus a doedd hi ddim yn hawdd dod o hyd i'r lleoliadau bob tro, a dwi'n credu i ni fod yn hwyr ambell dro, a doedd hynny ddim yn plesio. Fodd bynnag, mi gawsom fwy o waith gan Leon a llwyddo hefyd i gael asiant yn yr Iseldiroedd ac yn yr Almaen. Yn amlwg roedd gan asiantaethau eraill barch at Leon Lamal, ac os oeddem wedi gwneud taith iddo fo, yna roedd hynny yn ddigon o eirda iddyn nhw gymryd risg arnom ni.

Blwyddyn yn ddiweddarach yn 1979 doedd yr ymweliad ag Ostend ddim mor bleserus. Erbyn hyn dim ond tri aelod oedd yn Ar Log, sef Dave, Gwyndaf a fi. Roeddem wedi bod yn chwarae yn Llydaw eto ac ar y ffordd i ŵyl yn Ostend cyn croesi

41

'nôl i Brydain. Ar y ffin rhwng Ffrainc a Gwlad Belg fe stopiodd swyddogion y tollau ni. Bryd hynny, roedd rhaid cael ffurflenni *Carnet* i deithio gyda'r offerynnau a'r offer a hynny er mwyn profi nad oeddem yn allforio neu fewnforio unrhyw nwyddau. Wrth groesi pob ffin, byddai swyddogion tollau yn rhoi stamp ar y ffurflenni wedi iddynt sicrhau bod yr offer oedd gennym ni'r un fath â'r manylion oedd ar y ffurflen. Roedd popeth yn iawn nes i'r swyddog tollau ar ochr Ffrainc ofyn a oedd gennym ni unrhyw recordiau. Roedd nifer o'r grwpiau oedd yn teithio'r cyfandir yn cario LPs i'w gwerthu mewn cyngherddau, ac i osgoi talu treth arnynt fel nwyddau oedd yn cael eu gwerthu, y tric oedd peidio â'u rhoi ar ffurflenni'r *Carnet* ond rhoi copi i'r swyddog tollau am ddim er mwyn dangos mai samplau yn unig oeddynt. Yn amlwg roedd y swyddog tollau o Ffrainc wedi dod ar draws hyn o'r blaen, a dyma fo'n cychwyn archwilio'r fan yn fanwl. Roedd gennym ni rhyw ddau focs o LPs ar ôl, a doedd o ddim yn ein credu mai samplau oeddynt. Fe gymerodd yr LPs a'n *Francs* Ffrengig i gyd fel cosb, sef ein cyflog am y bythefnos yn Llydaw. Roedd hi'n oriau mân y bore arnom yn cyrraedd Ostend a pharcio o flaen y gwesty.

Y bore canlynol, aethom allan i nôl yr offerynnau, ond roedd y fan wedi diflannu, gyda phopeth ynddi. Dyma ddweud wrth yr heddlu yn syth, ac fe aethant â ni mewn car heddlu o gwmpas Ostend i weld os oeddem yn gallu gweld y fan, gan y byddai fan Sherpa gwyn Prydeinig yn eitha hawdd i'w hadnabod yno. Dim byd, ac roedd amser ein perfformiad yn yr ŵyl yn agosáu. Yn y diwedd dyma'r heddlu yn edrych ar ei system a gweld bod Heddlu Ffederal y wlad, nid yr heddlu lleol, wedi llusgo ein fan i'r pownd gan ein bod wedi parcio o flaen drws garej y fflatiau drws nesaf i'r gwesty wrth i ni gyrraedd yng nghanol nos. Roedd rhaid talu i gael y fan yn ôl a chael a chael oedd hi i gyrraedd cyn ein slot yn yr ŵyl.

Roeddem ar lwyfan awyr agored ac roedd y gwynt wedi dechrau codi. Roedd hi'n amhosib cadw'r telynau mewn tiwn, ac mae canu'r ffliwt y tu allan pan mae'r gwynt yn chwythu bron yn amhosib, gan fod y gwynt yn cipio'r anadl cyn iddo gyrraedd ceg y ffliwt yn iawn. Roedd y ffi am yr ŵyl wedi mynd i gyd bron i dalu i gael y fan yn ôl, ac felly roedd yr holl daith wedi bod yn fethiant llwyr. Dyma benderfynu fwy neu lai i roi'r ffidil yn y to – tasa gennym ni un! Ond er mwyn codi'n calonnau, fe benderfynon fynd draw i Frwsel i weld cyfeillion yno, aros y noson i anghofio am yr holl helynt, a theithio adra'r diwrnod wedyn. Hwn yn bendant oedd isafbwynt y teithio ar ôl tair blynedd, ac er bod gennym ni ychydig o gyngherddau ar ôl yng Nghymru, roedd Dave wedi penderfynu y byddai'n rhoi'r gorau i'r grŵp erbyn diwedd y flwyddyn.

Ar ddechrau'r degawd newydd a ninnau gyda dau aelod newydd, sef Geraint a Graham, cawsom gynnig taith fer a chwpl o wyliau mawr gan asiant arall yn yr Iseldiroedd ar ddiwedd 1980. Roedd y drefn yn debyg iawn – aros mewn tŷ bach yng nghanol y wlad a theithio yn ôl ac ymlaen i glybiau gwerin o amgylch yr Iseldiroedd. Erbyn hyn roedd gennym ni fan newydd a system sain, ac felly roedd pethau yn dechrau dod yn haws. Cawsom un cyngerdd mewn lle o'r enw Groenlo, yn nwyrain Yr Iseldiroedd, ger y ffin gyda'r Almaen, sef y dre a roddodd y cwrw enwog *Grolsch* i'r byd. Ar ôl siarad gyda'r trigolion lleol ar ôl y cyngerdd, a dysgu ambell dric bach gyda'r poteli *flip-top* eiconig, cawsom wybod sut i wneud elw wrth yfed y cwrw enwog. Wrth brynu crât o gwrw gyda'r poteli *flip-top*, yfed y cwrw, dychwelyd i Brydain ac yna mynd â'r poteli gwag yn ôl i'r siopau *off-licence* mawr fel *Bottoms Up*, roedd modd cael mwy am y poteli gwag ym Mhrydain nag a wariwyd ar y poteli llawn yn yr Iseldiroedd!

Roedd teithio'r clybiau gwerin hyn yng Ngwlad Belg a'r Iseldiroedd yn ffordd arbennig o fwrw prentisiaeth. Ond ar wahân i ddysgu disgyblaeth, prydlondeb a beth oedd yn gweithio a ddim yn gweithio ar lwyfan, roedd rhywun yn gweld cymaint oedd y gynulleidfa yn mwynhau ac yn parchu'r perfformiad. Doedd y sefyllfa nôl yng Nghymru bryd hynny ddim cweit yr un fath. Yn aml iawn byddai'r nosweithiau yn swnllyd iawn a'r bar yn cael blaenoriaeth dros y llwyfan (er mae hynny wedi newid erbyn hyn yng Nghymru – diolch byth).

Ond ar y cyfandir roeddem wedi synnu bod y gynulleidfa yn gallu bod mor frwdfrydig yn ystod alawon dawns cyflym ac yna, mewn cân dawel, y byddai modd clywed pin yn disgyn, neu yn hytrach glic gweill gan rywun yn y sedd flaen oedd yn gwau wrth wrando ar y cyngerdd. Pan welon ni hyn am y tro cyntaf, roeddem yn credu mai amarch oedd o, ond wedyn dyma ddallt, ar ôl iddo ddigwydd sawl gwaith, mai ffordd o ddangos gwerthfawrogiad oedd o – bod y person yn ymlacio ac yn mwynhau'r adloniant, a'r gwau yn digwydd yn ddiarwybod bron.

Yng nghanol y daith roedd yr asiant wedi cael slot i ni mewn gŵyl enwog o'r enw Winterfolk yn Dordrecht. Roedd nifer o grwpiau o'r gwledydd Celtaidd eraill yno hefyd, fel The Battlefield Band, Silly Wizard a Sonieren Du, ac roeddem wedi dod ar eu traws droeon yn ystod y flwyddyn mewn gwyliau eraill. Ond daeth newyddion syfrdanol ar noson yr Ŵyl ar Ragfyr 8fed – roedd John Lennon wedi cael ei saethu yn Efrog Newydd, a nifer o'r artistiaid dan deimlad. Heb rybudd a heb unrhyw drefniant, aeth pawb ar y llwyfan i ganu un o ganeuon John Lennon – 'Give Peace a Chance' dwi'n credu. Roedd Geraint yn ffan mawr o'r Beatles, ac roedd cysylltiad arall hefyd gyda nhw gan mai ei dad, T. Glynne Davies, dorrodd y newyddion i'r Beatles fod eu rheolwr, Brian Epstein, wedi marw a hynny pan oeddynt ym Mangor gyda'r *guru* Indiaidd, Maharishi Mahesh Yogi a T. Glynne yn cynnal cyfweliad.

Am flynyddoedd wedyn, daeth teithio drwy Wlad Belg yn batrwm rheolaidd wrth i ni berfformio mwy a mwy ar y cyfandir. Y trywydd arferol oedd Dover i Ostend, neu'r *Hovercraft* i Calais, ac yna ymlaen i Frwsel. Yn aml iawn byddem yn aros ym Mrwsel gyda ffrindiau oedd un ai yn gweithio i Fwrdd Twristiaeth Prydain (BTA) neu i Senedd Ewrop, a'r gyrchfan arferol oedd The Corkscrew (wedi ei enwi ar ôl y modelau bach o'r *Maneken Pis* oedd wedi eu haddasu i agor poteli gwin). Dwi ddim yn credu fod y bar yn bodoli bellach, a dwi ddim yn credu y byddwn yn gwybod sut i ddod o hyd iddo beth bynnag!

Yr Almaen ac Awstria

DWI DDIM YN gor-ddweud wrth ddweud mai'r Almaen oedd ail gartref Ar Log yn ystod diwedd y 70au a dechrau'r 1980au. Roedd ein hymweliad cyntaf â'r Almaen yn 1978, a hynny ar wahoddiad Emyr Griffiths, Pennaeth Bwrdd Croeso Cymru ar y pryd, i ffair fasnach enfawr yn Dusseldorf. Y British Tourist Authority (BTA) oedd yn mynychu'r ffeiriau hyn ar gyfer trefnwyr gwyliau, a byddai gan bob gwlad yn y byd bron stondin i hyrwyddo eu gwlad ac i geisio denu'r cwmnïau teithio i drefnu pecynnau gwyliau yno. Felly, er mwyn cael ychydig o amrywiaeth, byddai'r BTA yn gwahodd gwahanol artistiaid i gynrychioli gwahanol ddiwylliannau Ynysoedd Prydain. Weithiau, fodd bynnag, mi fyddai gan Gymru ei stondin ei hun, a byddai'r digwyddiadau hynny yn brysur iawn i ni gan ein bod yn chwarae set o ryw ¾ awr yn rheolaidd bob rhyw ddwy awr drwy'r dydd, gan gynnwys dawns y glocsen, a hynny am tua phum diwrnod. Wedyn, ar ôl i'r ymwelwyr adael, roedd nifer o'r stondinau yn cael gwared o beth bynnag oedd ar ôl o'u cynnyrch lletygarwch, a byddai modd cael taith 'rownd y byd' yn profi'r gwahanol fwydydd a diodydd rhyngwladol tra roedd y trefnwyr yn tynnu'r stondinau i lawr. Ac yn sgil hynny, dwi ddim yn credu wna i fyth yfed Blue Hawaii eto!

Yn Berlin roedd un o'r ffeiriau mwyaf, ac roedd yno hefyd wythnos Gymreig mewn gwesty go fawr. Felly rhwng popeth roeddem yn y ddinas enfawr hon am dair wythnos. Bryd hynny, roedd Berlin wedi ei rhannu gan y wal enwog, a gorllewin Berlin felly wedi ei hynysu yng nghanol Dwyrain yr Almaen ac roedd

45

rhaid gyrru ar hyd 'coridorau' penodedig o Orllewin yr Almaen i Ferlin – a doedd fiw i chi oryrru! Yng Ngorllewin Berlin, roedd unrhyw beth a phopeth ar gael bedair awr ar hugain. Roedd hyn yn fwriadol, wrth gwrs, er mwyn dangos i Ddwyrain Berlin y gwahaniaeth rhwng bywyd 'rhydd' y Gorllewin a chyfundrefn gomiwnyddol y Dwyrain o dan yr Undeb Sofietaidd. Mae'r hanes sut y rhannwyd Berlin rhwng byddinoedd y cynghreiriaid ar ôl y rhyfel, ac yna'r *Berlin Blockade* yn hynod o ddifyr, ac roedd yr ansicrwydd dyddiol o ba mor hir y byddai Gorllewin Berlin yn aros yn rhydd yn amlygu ei hun ym mywyd a meddylfryd diofal y trigolion. Yn ystod yr wythnos Gymreig felly, roedd yna awydd cryf i ymweld â'r enwog Checkpoint Charlie a Dwyrain Berlin. Un o'r artistiaid eraill oedd yn cymryd rhan yn yr wythnos Gymreig oedd y delynores Caryl Thomas, ac un diwrnod mi benderfynodd Caryl, Gwynaf a finnau ymweld â Dwyrain Berlin. Roeddem wedi cael ar ddeall fod modd newid arian Gorllewin yr Almaen, sef y *Deutsche Mark* i arian Dwyrain yr Almaen mewn banc yng Ngorllewin Berlin am raddfa o 1:4, yn hytrach na'r raddfa 1:1 oedd yn bodoli yn y Dwyrain ar ochr arall y wal, a dyna be wnaethom ni.

Ar y wal, ar ôl gadael y sector Americanaidd yn Checkpoint Charlie, roedd rhaid datgelu wrth awdurdodau'r DDR (Gweriniaeth Ddwyrain yr Almaen) unrhyw arian tramor oedd yn ein meddiant. Fe wnaethom hyn, sef *Deutsche Marks* a *Sterling* rhan fwyaf, newid rhywfaint o *Deutsche Marks* i arian y dwyrain ar y raddfa 1:1, datgan ein bwriad fel ymwelwyr ac i mewn â ni i Ddwyrain Berlin. Roedd yr awyrgylch yn drist rywsut, a phopeth yn llwyd a llwm o'i gymharu â Gorllewin Berlin, ac roedd gweld y wal oedd yn mynd drwy ganol y Brandenburg Gate yn dorcalonnus. Llwm iawn oedd y siopau hefyd, a dim hysbysebion, ond oherwydd y raddfa gyfnewid yng Ngorllewin Berlin, roedd popeth yn ymddangos yn ¼ y pris, ac felly mi brynon ni bob math o *souvenirs.* Cefais botyn *china* neis o Dresden, menig lledr, LP jazz Barney Kessel a set beiro a *fountain-pen.* Yna, ar y ffordd yn ôl drwy'r wal, roedd rhaid dangos i filwyr y DDR bopeth yr oeddem wedi eu prynu gan ddangos y talebau a newid unrhyw arian y Dwyrain yn ôl i arian y Gorllewin, gan ei bod hi'n anghyfreithlon mynd ag arian y Dwyrain allan o'r wlad.

Ar ôl gwneud y symiau, dyma'r milwyr yn sylweddoli, gan gofio'r datganiad yr oeddem wedi ei wneud ar y ffordd i mewn, nad oedd gennym ddigon o arian i brynu'r holl nwyddau hyn. Newidiodd eu hagwedd yn syth, ac fe anfonwyd y tri ohonom i 'stafelloedd ar wahân, gan gymryd ein *passports*. Digwydd bod fe wnaeth y tri ohonom ddweud yr un peth, diolch byth, sef ein bod wedi newid arian y Gorllewin i arian y Dwyrain mewn banc yng Ngorllewin Berlin ar raddfa 1:4. Ond doeddent ddim yn ein credu gan eu bod yn mynnu nad oedd arian y Dwyrain ar gael y tu allan i'r wlad. Fe ddangoson ni'r talebau o'r banc iddynt, ond roeddynt yn dal yn amau'r peth. Yna fe ofynnodd un pam na ddatgelwyd hyn ar y ffordd i mewn, ac mi eglurais mai gofyn i ni ddatgan arian tramor wnaethant, ac nid oedd arian y Dwyrain yn arian tramor yn y Dwyrain. Aeth yr *interrogation* ymlaen am gwpl o oriau nes yn y diwedd fe gymerodd y swyddogion ein nwyddau i gyd oddi arnom, a gofyn i ni arwyddo ffurflen driphlyg oedd yn datgan ein bod wedi cyflawni trosedd ariannol yn erbyn y wladwriaeth. Dyna oedd yr unig ffordd i gael ein *passports* yn ôl. Roedd gennym, fodd bynnag, jest ddigon o Almaeneg i ddallt y datganiad ac i ofyn iddynt ychwanegu 'yn ddiarwybod fel ymwelwyr' ato. Fe gytunodd y milwyr a gofyn i mi arwyddo'r ffurflen. Doeddwn i ddim wedi rhoi'r set beiro a phen yn ôl, gan y byddwn yn gobeithio nad oeddynt wedi ei gweld yn fy mhoced y tu mewn i'm siaced.

'Haben sie einen Kugelschreiber?' meddai'r milwr. Roeddwn yn benderfynol o gadw rhywbeth, ond eto yn poeni rhag ofn fod ganddynt ryw gamera *x-ray* yn y 'stafell ac yn gwybod am y set yn fy mhoced.

'Nein,' meddwn i, a dyma fo yn estyn beiro i mi i arwyddo, rhoi'r *passport* yn ôl a dweud wrthym am ddangos copi i'r swyddogion Americanaidd ar y ffordd yn ôl drwy Checkpoint Charlie. Sôn am ryddhad! Aeth y tri ohonom fel plant bach drwg at yr Americanwyr, ond doedd ganddynt ddim iot o ddiddordeb, dim ond dweud y gallasem fod wedi cael carchar am 15 mlynedd yn y DDR am drosedd ariannol yn erbyn y wladwriaeth!

Perfformio mewn clybiau gwerin oedd y rhan fwyaf o'r gwaith bara menyn yng Ngorllewin yr Almaen drwy asiant oedd yn byw yn Wiesbaden. Er bu un achlysur anarferol a hynny i Fwrdd Croeso Cymru mewn noson Gymreig ar fwrdd llong yn Hamburg. Cafwyd gwledd anferth, ar long foethus i wahoddedigion cwmni HADAG, sef y cwmni oedd yn rhedeg y gwasanaethau fferi ar draws Môr y Gogledd rhwng yr Almaen a Denmarc, a Lloegr. Ein swyddogaeth ni oedd perfformio yn ystod y cwrs cyntaf, sef y cawl, ac yna roedd artistiaid gwahanol yn perfformio yn ystod pob un o'r cyrsiau eraill. Roedd rhaid i ni deilwra ein set felly a chadw golwg ar bawb yn bwyta. Unwaith roedd y powlenni cawl olaf yn cael eu casglu, roedd rhaid darfod y gân a gwneud lle i artistiaid eraill. Uchafbwynt y noson oedd y cwrs olaf a dawns yng nghwmni'r Pasadena Roof Orchestra, oedd yn lled enwog ar y pryd – noson ryfedd iawn!

Ar ôl i'r aelodaeth newid yn 1980, derbyniom fwy o waith yn yr Almaen drwy'r asiant, oedd yn golygu teithiau o tua 3 i 5 wythnos ar y tro. Roedd un clwb gwerin newydd gychwyn yn ardal mynyddoedd Taunus, ychydig i'r gogledd o Wiesbaden, mewn clwstwr o bentrefi o'r enw Taunusstein. Cawsom groeso arbennig yno, a dod i adnabod rhai o deuluoedd yr ardal, yn bennaf gan eu bod yn rhoi llety i ni yn ystod ein hymweliadau. Rydym yn ffrindiau mawr gyda'r teuluoedd hyn hyd heddiw, ac rydym wedi dychwelyd sawl gwaith i berfformio yn y clwb gwerin yn ystod y deugain mlynedd diwethaf, a'r teuluoedd wedi bod draw yng Nghymru i aros efo ni sawl gwaith. Os oedd gennym ddiwrnodau rhydd yn ystod taith, roedd wastad croeso i ni yn Taunusstein i ymlacio. Yn aml byddai hynny'n golygu taith fach i lawr i rai o'r pentrefi ar y Rhein, ble byddai'r gwinllannoedd bychain yn agor eu tai i drigolion yr ardal i flasu'r gwin diweddaraf ac archebu eu stoc am y flwyddyn.

Yn ystod un o'r teithiau hir yma, daeth diwedd y daith i'r hen fan Sherpa oedd gennym. Roeddem wedi bod yn chwarae mewn dinas arbennig o hardd yn ne orllewin yr Almaen, ar gyrion y Goedwig Ddu, o'r enw Freiburg. Roedd y cyngerdd nesa'r noson ganlynol yn Saltzburg, sydd dros 350 o filltiroedd i ffwrdd, ar draws y Goedwig Ddu, ar hyd de'r Almaen i'r dwyrain, heibio Munich a thros y ffin i Awstria. Roeddem braidd yn hwyr yn cychwyn ar ôl noson hwyr, ac felly roedd yr hen Sherpa yn cael ei gwthio i'r pen. Yng nghanol y Goedwig Ddu ar ôl dringo sawl un o'r gelltydd, dyma'r *head gasget* yn chwythu, a dechreuodd yr injan boethi a cholli dŵr. Roedd rhaid i ni fynd yn ein blaenau, felly dyma stopio bob rhyw ugain milltir i lenwi'r peiriant efo dŵr o'r nentydd bychain ar gyrion y ffordd. Ar ôl dipyn, fodd bynnag, doedd dim nentydd i'w cael ar y draffordd, a dim gwasanaethau am filltiroedd, felly doedd gennym ddim dewis ond i bawb gymryd ei dro i bi-pi i mewn i'r rheiddiadur, nes i ni gyrraedd Saltzburg!

Roedd y cyngerdd yn y Mozart Halle – un o'r neuaddau baróc harddaf i mi ei gweld erioed, ac roedd y gynulleidfa – tua 300 ohonynt – eisoes yn eu cadeiriau yn disgwyl yn eiddgar. Doedd dim amser i newid na gosod system sain, ond a dweud gwir, doedd dim angen un – roedd acwsteg y neuadd yn anhygoel. Dyma fynd drwy ein set fel ag yr oeddem, gyda phopeth yn hollol acwstig, ac roedd y gynulleidfa wrth ei bodd – cymaint felly fel y gwerthon ni bob un LP oedd gennym ni. Yn eistedd yn y rhes flaen roedd dynes grand iawn yr olwg, ac fe gyflwynodd y trefnydd ni iddi hi. Y Dywysoges Helga Lee oedd hi, ac fe dderbyniom wahoddiad ganddi i fynd i'w thŷ'r diwrnod canlynol i gael cinio. Roedd yr holl beth yn gwbl swreal, roedd hi'n mynnu ein bod yn canu yn yr ysgol gynradd leol i'r plant i ddechrau, ac ar ôl hynny, pan gyrhaeddon ni'r plasty enfawr, roedd plant yr ysgol leol wedi eu gosod ar y stepiau yn arwain at y drws, yn canu cân o groeso i ni, fel rhywbeth allan o'r *Sound of Music*. Yn ôl y Dywysoges, roedd hi'n ddisgynnydd i Nicholas I, un o Tzars Rwsia, ac fe ddaeth ein cinio ar blatiau arian pur gydag arfbais ac enw Nicholas I wedi eu stampio arnynt. Ar y ffordd hir ac araf yn ôl i Gymru'r diwrnod wedyn, mewn fan oedd yn rhygnu mynd a llyncu dŵr bob hanner awr, roeddem i gyd yn rhyw amau os oeddem wedi breuddwydio'r cwbl.

Doedd dim amser i gael llawer o seibiant adref, dim ond cyfle i brynu fan newydd a chychwyn yn ôl am yr Almaen. Gan fod gennym gymaint o waith ar y gweill yno, fe benderfynon ni brynu Volkswagen, er mwyn hwyluso unrhyw gynnal a chadw yn y wlad, a'i addasu gyda ffenestri, seddau a gwely *bunk* y tu ôl i'r seddau blaen, a phared i wahanu'r seddau o'r offer yn y cefn. Nôl yn yr Almaen roedd gennym daith arbennig iawn o'r enw The Celtic Festival Tour oedd yn para mis a chyngerdd bob nos yn y dinasoedd a'r trefi mawr, mewn neuaddau oedd yn dal tua 2,000 o bobl. Roedd pedwar grŵp neu artist yn cymryd rhan ar y daith, a phawb yn gwneud perfformiad o tua ugain munud i hanner awr. Bob blwyddyn byddai dau o'r artistiaid yn newid, ac felly roedd pob artist yn gwneud y daith am ddwy flynedd. Yn ein blwyddyn gyntaf ni, roedd Ar Bleizi Ruz o Lydaw, Joe ac Antoinette McKenna o Iwerddon, Jake Walton o Gernyw a ni o Gymru. Yn ein hail flwyddyn, roedd Ossian o'r Alban a Stockton's Wing o Iwerddon yn ymuno â ni a Jake Walton, ac yna bydden nhw yn gwneud blwyddyn arall efo dau artist newydd eto o'r gwledydd Celtaidd. Roedd o'n syniad gwych, yn enwedig gan fod cerddoriaeth Geltaidd mor boblogaidd bryd hynny yn Ewrop. Ond roedd y daith yn ddibaid rywsut. Roedd pawb yn teithio ar y bws efo'i gilydd, a'r system sain yn dod mewn lori i'w osod cyn i ni gyrraedd. Yna *soundcheck*, checio mewn i'r gwesty, cyngerdd, dychwelyd i'r gwesty ac yn amlach na pheidio *craic* tan yr oriau mân, ac yna gorfod gwneud y cwbl eto. Bonn, Hamburg, Hannover, Berlin, Munich, Stuttgart, Wiesbaden, Cologne, Dusseldorf ac yn y blaen am fis, nes gorffen yn Frankfurt.

Dieter Nentwig oedd yr asiant – un oedd yn tueddu i ganolbwyntio ar *Jazz* a *Gipsy Swing* fel arfer. Bernt oedd rheolwr y daith, a ganddo fo oedd y job waethaf posib sef i drio cael pawb o'u gwlâu ac ar y bws yn y bore. Roedd ganddo gloc larwm anferth i'w helpu! Fe gefais i enw hefyd am fod yn braidd o niwsans yn y bore wrth drio cael pawb ar y bws – yr hen natur *control freak* 'na mae'n rhaid. Dwi'n clywed fy hun rŵan yn gweiddi 'Iesgob, c'mon!' Un bore, fodd bynnag, ar ôl noson rhy hwyr o lawer, y fi oedd yr olaf i godi. Pan gyrhaeddais y bws, roedd yr artistiaid eraill i gyd yno yn eu seddau, a dyma'r cwbl yn gweddi efo'i gilydd 'Iesgob, c'mon!' Dyna fi wedi dysgu fy ngwers!

Erbyn y noson olaf, roedd pawb yn barod i fynd adref, ac fel unrhyw 'noson olaf taith', roeddem i gyd yn llawn rhialtwch a'r pethau rhyfeddaf yn digwydd ar y llwyfan a phawb yn cyd chwarae fel *finale*. Roedd 'na barti wedyn wrth gwrs ond rhywbryd yn y bore bach, fe benderfynon ni gychwyn am Ostend er mwyn dal y cwch yn gynt. Fe ddaeth Jake Walton efo ni hefyd, ond ar ôl rhyw awr roedd pawb yn cysgu'n braf yn y fan, a finnau'n gyrru. Dwi'n cofio pasio rhyw lori ac yna dim byd nes i mi ddeffro gyda sŵn crafu mawr. Roeddwn wedi disgyn i gysgu wrth yrru, a'r fan wedi gwyro i'r chwith, nes bod ei hochr wedi ei rhwygo gan y *crash barriers* rhwng y ddwy lôn ar y draffordd, rhywle rhwng Frankfurt a Cologne. Mi ges i andros o fraw, ond dim ond Gwyndaf wnaeth ddeffro. Fe dynnais i mewn i'r gwasanaethau nesa, a llyncu llwyth o goffi. Roedd pawb arall wedi cael gormod i yfed i yrru, felly roedd rhaid i mi ddal ati. Dwi ddim yn credu i mi flincio drwy Wlad Belg, cymaint oedd yr ergyd wedi fy nychryn. Wedi hynny fe benderfynon ni gael rheol fod neb yn gyrru mwy na 100 milltir ar y tro, yn enwedig wrth yrru ar ôl cyngerdd, waeth pa mor effro oedd rhywun yn teimlo ar y pryd.

Yn dilyn teithiau'r Celtic Festival Tour, cawsom fwy fyth o waith yn yr Almaen, ond doedden ni ddim yn teimlo rhywsut fod yr asiant yn tynnu ei bwysau. Roedd yn gofyn am gannoedd o bosteri o flaen llaw, oedd yn arwydd da, ond unwaith, pan alwon ni yn ei fflat yn Wiesbaden yn ddirybudd, roedd tomen o'n posteri ar lawr heb eu cyffwrdd. Roedd nifer o'r nosweithiau hefyd yn cael eu gohirio funud olaf, ac roedd hynny yn golygu diwrnodau di-waith, a gwariant diangen. Mewn un noson

mewn clwb gwerin, roeddem wedi gosod popeth yn barod
ac wedi gwneud *soundcheck*, ond dim ond dwy ferch ddaeth
i mewn. Ar ôl aros ychydig, roedd hi'n amlwg nad oedd neb
arall am ddod, ac fe ddechreuon ni dynnu'r offer i lawr a rhoi'r
arian tocynnau yn ôl i'r merched.

'But we wanted to hear you play,' meddan nhw. Felly ar ôl
cadw'r offer, fe aethom i'r bar drws nesa, eistedd rownd bwrdd
neu ddau yn y gornel efo'r merched a chwarae'r set i gyd.
Roeddynt wrth eu boddau, ond roedd rhaid gwneud rhywbeth
am yr asiant. Graham gafodd y gwroldeb yn y diwedd i ddweud
wrtho yn blwmp ac yn blaen beth oedd ein teimladau, ar ôl
i'r gweddill ohonom ryw ddawnsio o gwmpas y mater. Ar ôl
hynny, y tueddiad oedd defnyddio mwy nag un asiant yn yr
Almaen gan fod y wlad mor fawr, a neb mewn gwirionedd yn
gallu cynrychioli'r cwbl o Kiel yn y gogledd i lawr i Freiburg
a Munich yn y de. Wrth edrych yn ôl, mae'n anodd credu sut
oeddem yn llwyddo i gyrraedd pob man heb *sat nav*. Roedd
gennym lyfr o fapiau manwl o wledydd Ewrop, ond roedd y
tudalennau yr oeddem yn eu defnyddio fwyaf, sef canolbarth
yr Almaen, wedi dod yn rhydd. Ar un diwrnod poeth, pan oedd
ffenest y fan yn llydan agored a Geraint yn nafigetio, dyma'r
ddwy dudalen bwysicaf yn cael eu sugno drwy'r ffenest ar yr
draffordd a hedfan i ebargofiant!

Ers y cyfnod o deithio'n llawn amser, rydym wedi parhau
i ddychwelyd yn achlysurol i berfformio yn yr Almaen, yn
enwedig i'n hoff ardal yn Taunusstein ar gyrion Wiesbaden.
Wrth ddathlu 10 mlynedd yn 1986 fe wnaeth trefnydd y clwb
yn Tanusstein hefyd drefnu cyngherddau i ni o gwmpas yr
ardal. Diwedd Ebrill oedd hi, ac roeddem wedi teithio o'r
Iseldiroedd i'r Almaen ac erbyn dechrau Mai roeddem mewn
tref o'r enw Darmstsadt i'r de o Frankfurt. Fe sylweddolom fod
y newyddion i gyd yn sôn am ryw ddamwain yn yr Iwcrain,
a bod y strydoedd i gyd wedi mynd yn ddistaw iawn. Yn y
diwedd cawsom wybod am y ffrwydrad yn Chernobyl, a bod
cwmwl ymbelydrol yn chwythu dros ganolbarth yr Almaen. Fe
ddechreuodd fwrw ac roeddem yn ofnus braidd o fynd allan

o'r fan a doedd neb arall i weld yn mynd allan i'r glaw chwaith. Aethom yn ôl at ein ffrindiau yn Tanusstein ar gyfer y cyngerdd olaf, ac erbyn hynny roeddent yn gwrthod gadael i'r plant fynd allan i chwarae, a phawb yn rhoi'r gorau i yfed llefrith ffres. Ar ôl cyrraedd yn ôl i Gymru, roedd y newyddion ym mhob man, a si ar led fod Eryri hefyd wedi dioddef o'r glaw ymbelydrol. Dyna pryd, mewn gwirioedd, y sylweddolon ni pa mor ddifrifol oedd yr holl beth, a pha mor ddrwg oedd rhai ardaloedd yn yr Almaen wedi dioddef.

Yn ystod y deg mlynedd ar hugain diwethaf, rydym wedi cadw perthynas glos gyda'n cyfeillion yn yr Almaen, ac wedi bod draw un ai i ddathlu pen-blwydd y Clwb Gwerin yn Taunusstein, neu pan oedd Ar Log yn dathlu'r ugain, neu'r deugain yn ddiweddar. Yn 2010 pan oedd y Clwb Gwerin yn dathlu'r 30, cafodd Gwyndaf, Geraint, Graham a finnau, sef y *line-up* gwreiddiol a chwaraeodd yno pan sefydlwyd y clwb yn 1980, wahoddiad i fynd yno i fod yn rhan o'r dathliadau. Yn anffodus bu rhaid i Gwyndaf dynnu yn ôl, ond fe ddaeth Math, y mab ieuengaf, yn ei le i ganu'r delyn yn y cyngerdd dathlu. Roeddwn yn falch iawn ohono – fe ddysgodd y darnau mewn chwinc a pherfformio unawd, ac yntau ond yn 10 oed. Yn fwy diweddar, mae Côr Dre, dan arweiniad Siân, wedi bod ar daith yn yr un ardal yn cyd-berfformio gyda chorau lleol – un dan arweiniad merch un o'n cyfeillion o'r 80au. Roedd y pedwar cyngerdd wedi eu trefnu gan ferch o'r enw Inge Gesiarz a hi sydd wedi bod yn trefnu cyngherddau Ar Log yno yn ddiweddar. Roedd Inge yn arfer gweithio i'r BTA yn y 70au a'r 80au, a bu'n rhan o'r tîm oedd yn edrych ar ein hôl yn ystod yr ymweliadau cyntaf un â'r Almaen yn y ffeiriau masnach yn Dusseldorf a Stuttgart, ond roeddem wedi colli cysylltiad ers degawdau. Tydi hi'n od fel mae'r rhod yn troi?

Cymru 3

MAE'R CYFNOD YN syth ar ôl gadael coleg yn un od i bawb rwy'n siŵr. Roedd nifer o'm ffrindiau coleg wedi cael gwaith neu yn gwneud ymarfer dysgu, ond roedd yr haf a gweddill y flwyddyn i mi yn gyfnod o ansicrwydd mawr. Roedd gweddill Ar Log wedi bod ar daith yn Ynys Skye tra es innau i'r Seremoni Graddio (a naddo, wnes i ddim ysgwyd llaw Syr Charles Evans), ac yna roeddem yn cyfarfod ar gyfer perfformiad yn y Sioe Fawr. Roedd yna addewidion o waith efo'r grŵp, ond ddim digon i'n cynnal i ddweud y gwir. Bûm yn crasho yn fflat Gwyndaf a Iolo yn y Rhath yng Nghaerdydd am gyfnod, ac yn raddol bach, oherwydd cysylltiadau Dave gyda'r Hennessys gynt, fe ddaeth mwy a mwy o waith i mewn. Roedd rhaid tynnu lluniau cyhoeddusrwydd a chychwyn paratoi deunydd hyrwyddo a'i anfon allan i wahanol glybiau a gwyliau. Cawsom daith fer yn Iwerddon, a slot yn perfformio i raglen ar gwmni teledu RTE yn Nulyn. Dwi'n cofio croesi i Rosslare a cheisio ffonio ein cyswllt yn RTE, sef Tadhg de Brún, oedd yn Reolwr Llawr yno. I mewn â ni i giosg ar gyrion Rosslare a ffonio clwb RTE i geisio siarad gyda Tadhg. Roedd rhaid mynd drwy'r *operator* oedd yn ein cysylltu i Ddulyn, ac yna dyma gysylltu gyda'r clwb. Roedd yna andros o sŵn yn y clwb, ac fel hyn aeth y sgwrs:

'Is Tadhg de Brún there please?'

'Jezus, I can't hear you, who did ya want?'

'Tadhg de Brún please?'

'I can't hear ya, there's one hell of a noise in here – who did ya want to speak to?'

'Tadgh de Brún please?'

Ac ar ôl ychydig o hyn, roedd yr *operator*, oedd yn amlwg yn gwrando, wedi cael llond bol, a dyma hi'n torri i mewn i'r sgwrs.

'Your man wants to speak to Tadgh de Brún!'

'Ah, Tadgh de Brún you want, I'll get him for ya now.'

Mae'n bosib fod gan yr *operator* well llinell na ni, ond dwi bron yn sicr mai ein hacen ni oedd ar fai.

Daeth mwy o waith gan Bwrdd Croeso Cymru hefyd ar hyd a lled y wlad, ac ambell berfformiad dramor mewn ffeiriau masnach, cynadleddau a derbyniadau, ond mi roedd yna gyfnod gwbl ddi-waith. Ar un adeg mi es i mewn i arwyddo i Manpower, sef asiantaeth oedd yn darganfod pob math o waith i rywun am gyfnodau byr. Mi ges wythnos yn glanhau peirannau argraffu mewn gwasg anferth ar stad ddiwydiannol yn Pentwyn, ac yna wythnos yn gosod loceri mewn ffatri ar gyrion Trefforest, a dod adref ar ôl pythefnos o waith gyda thua ugain punt ar ôl i Manpower dynnu eu comisiwn, a threth ac Yswiriant Gwladol! Roeddwn yn teimlo'n flin iawn am hyn, ac mae'n siŵr y byddwn wedi ennill mwy wrth fynd ar y dôl, ond roeddwn yn benderfynol o beidio gwneud hynny. Yn raddol, fodd bynnag, daeth y galwadau eto yng Nghymru ac yn Lloegr. Roedd un cyngerdd yn Aberystwyth, ac roedd Dave ac Iolo am gyfarfod Gwyndaf a mi yno. Fe gychwynnodd y ddau ohonom felly yn y pnawn yn hen fan *Transit* goch Brân, i fyny am y Bannau, ond wrth ddringo i Storey Arms fe dorrodd cebl y sbardun. Ar ôl pendroni am dipyn dyma gofio, wrth gwrs, fod gennym ddwy delyn yn y cefn. Felly dyma gymryd un o'r tannau oddi ar y delyn fwyaf, a'i chlymu i'r pedal ac yna ei bwydo drwodd i'r injan. Fe aeth popeth yn iawn am ryw 20 milltir nes i'r tant, yn naturiol, ddechrau ymestyn, a gyda'r pedal yn fflat ar y llawr, roeddem yn gwneud tua 5 milltir yr awr! Yna fe dorrodd y tant. Felly yn ôl at y delyn a chymryd tant yn is o'r delyn. Mae tannau'r delyn wedi eu rhifo yn ôl yr *octave* a'r nodyn, a dwi'n meddwl mai rhywbeth fel 4ydd *octave* C oedd y tant wnaeth dorri i ddechrau, felly dyma fynd lawr y delyn i 4ydd *octave* G, neu 5ed *octave* C neu rywbeth tebyg. Dwi ddim yn cofio pa dant a ddefnyddiwyd yn y diwedd ond fe weithiodd, a'n cael i Aberystwyth mewn pryd. Roedd rhaid sychu'r tant wedyn wrth gwrs i gael gwared o'r olew, a'i rhoi yn ôl ar y delyn ar gyfer y cyngerdd.

Yn dilyn ychydig o deithiau tramor ac erthyglau a chyhoeddusrwydd yn y papurau, daeth gwahoddiad i gymryd rhan yng nghyngerdd mawreddog Dydd Gŵyl Dewi yn yr Albert Hall. Roedd gennym slot o tua 12 munud, yn cynnwys dawns y glocsen, ac roedd rhaid amseru'r cwbl i'r eiliad. Roedd hwn yn achlysur blynyddol gyda bysiau yn cael eu trefnu o bobman yng Nghymru, ac roedd Dad a Mam wedi penderfynu dod ar un o'r tripiau o'r gogledd. Roeddwn i'n hynod o nerfus, ac yn poeni am newid mewn pryd ar gyfer y ddawns ar ôl ychydig o ganeuon. Chwarae teg, daeth cyfaill i ni oedd yn golurwraig brofiadol i gynorthwyo gefn llwyfan, ac mi aeth y perfformiad yn hynod o dda. Roedd y gynulleidfa wrth eu boddau gan fod y syniad o grŵp ifanc yn chwarae caneuon ac alawon traddodiadol Cymreig yn weddol ddiarth. Doedd fy rhieni ddim wedi bod yn rhy hoff o'm dewis i geisio gwneud bywoliaeth wrth deithio efo grŵp yn hytrach nag ymarfer dysgu, neu ryw yrfa bellach gyda'r radd mewn Seicoleg. Ond roedd ymateb y dorf y noson honno, dwi'n credu, wedi eu darbwyllo fod yna bosib iddo lwyddo. Roedd gennym fwy o deithiau ar y gweill, ac ar ôl cyngherddau yng Nglasgow a Chaeredin gydag Ossian ac Archie Fisher o'r Alban a chriw ceoltóirí Altan o Ddonegal yn Iwerddon, cawsom asiant i'n cynrychioli yn Lloegr a'r Alban. Daeth Gŵyl Werin Dolgellau yn yr haf ac fe gafodd Nansi Richards gyfle i'n gweld yn perfformio yno. Roedd hi wrth ei bodd yn gweld y delyn deires yn ôl ar y llwyfan, ac alawon Cymreig yn cael bywyd newydd unwaith eto. Os oeddem angen unrhyw hwb i barhau, yna honno oedd yr anogaeth orau posib.

Yn ystod 1978, ar ôl bod ar daith yn Llydaw, cawsom wahoddiad i chwarae mewn clwb gwerin yn Llundain, ger twr y Swyddfa Bost, o'r enw The Dingle's Folk Club. Roedd y clwb wedi ei sefydlu gan John Kirkpatrick a Roger Holt nôl yn 1970, a daeth John Kirkpatrick yn enwog yn ddiweddarach fel aelod o'r Richard and Linda Thompson Band, ac yna Steeleye Span. Roedd cynhyrchydd o raglen werin BBC Radio 2 yn y gynulleidfa hefyd, ac ar ddiwedd y noson fe ddaeth i gael sgwrs efo ni a threfnydd y noson, Roger Holt. Er nad oedd addewid pendant am sesiwn 'byw' ar y rhaglen werin ar Radio 2 gan y cynhyrchydd, fe ddaeth gwahoddiad pendant gan Roger i ni recordio albym ar ei label newydd 'Dingle's'. Doedden ni ddim wedi meddwl am recordio o gwbl a dweud y gwir gan mai prin 18 mis roedd y grŵp wedi bodoli, ond o weld bod nifer o grwpiau eraill yn gwerthu LPs ar ddiwedd eu cyngherddau, yna byddai hyn, o bosib, yn gallu bod yn fonws, yn enwedig wrth deithio tramor. Cyntefig braidd oedd y stiwdio ar gyrion y North Circular yn rhywle, gyda dwy 'stafell yn nhŷ'r peiriannydd, Alan Morrow, wedi eu haddasu ar gyfer recordio. Doedd o ddim yn ddelfrydol, gyda'r rhan fwyaf o'r traciau yn cael eu recordio 'yn fyw', a phrin oedd y cyfle ar gyfer ychwanegu traciau neu offerynnau. Aros yn nhŷ Roger a'i wraig Helen wedyn gyda'r nos yn Edgware. Roedd Helen yn canu'r acordion gyda grŵp dawns a hefyd yn rhan o'r cwmni a'r label, ac mi roedd yna deimlad o ryw *cottage industry* am yr holl beth, ond roedd y ddau yn groesawgar iawn ac yn frwdfrydig dros y recordiad. Roger oedd yn tynnu'r lluniau, ac yn mynnu cael yr holl ystrydebau Cymreig, fel dreigiau a chestyll, yn rhan o'r clawr. Pan ddaeth y cyflenwad cyntaf, roeddwn i'n bersonol yn siomedig iawn. Doedd y llun ddim mewn ffocws, doedd yr argraffiad ddim yn sgwâr ar y clawr, a doedd gwasgiad y feinyl ddim cweit yn y canol, oedd yn golygu fod traw'r caneuon yn codi a gostwng wrth i'r LP droi, yn enwedig wrth i'r nodwydd fynd yn nes ac yn nes at y canol. Dwi'n credu i ni ofyn iddynt ail wasgu'r LP feinyl. Mae'n bosib fod y gwasgiad cyntaf yna yn werth ffortiwn erbyn hyn, fel stampiau gyda chamgymeriad ynddynt! Gobeithio'n wir!

Erbyn hyn roeddwn yn rhannu fflat efo Dave Burns yn Nhreganna (ym mloc Ivor Novello ar Cowbridge Road East, digwydd bod), ac wedi dod yn ffrindiau gyda Bernard a Cynthia

Buttle, sef gŵr a gwraig oedd yn cadw gwesty The Ashgrove ar Newport Road. Roeddynt wedi ein gweld o dro i dro yn chwarae yng Nghlwb Gwerin y Cardiff Royal Infirmary a hefyd yng nghlwb y BBC, oedd hefyd ar Newport Road. Roeddynt yn hynod gefnogol i Ar Log ac yn rhoi lle i ni gyfarfod ac ymarfer pan oedd angen. Bu Bernard hefyd yn fodlon derbyn galwadau ar ein rhan, fel rhyw fath o asiant yn y dyddiau cynnar, gan ein bod i ffwrdd gymaint, a dim y fath bethau â ffonau symudol yr adeg hynny. Erbyn diwedd 1978, er bod y teithiau a'r cyngherddau ym Mhrydain a thramor wedi dechrau prysuro, yn enwedig ar gyfer Llydaw, Gwlad Belg a'r Almaen, fe benderfynodd Iolo adael y grŵp. Roedd Gwyndaf, Dave a minnau, fodd bynnag, am barhau fel triawd gan fod gennym nifer o deithiau wedi eu trefnu yn 1979, ond i mi, doedd y balans ddim yn gweithio. Y cyd-chwarae rhwng y ffidil a'r ffliwt, gyda'r gitâr a'r telynau yn creu'r cyfeiliant, oedd yn creu sŵn Ar Log, gyda chanu a mandolin Dave. Gyda dim ond y tri ohonom, roeddem wedi colli rhywfaint ar amrywiaeth y sŵn yn y set, ac roedd diwedd y noson wastad yn broblem i mi. Fel arfer byddwn yn gorffen gyda dawns y glocsen, gyda Dave a Gwyndaf yn cyfeilio, ac yna, fel *encore* yn gwneud cân dawel fel 'Tra Bo Dau' i gloi'r noson. Ond roedd canu'r ffliwt ar ôl gwneud dawns y glocsen yn anodd iawn gan fy mod allan o wynt ac yn anadlu'n drwm. Ond un noson mewn clwb gwerin yn Sheffield, ar naid olaf y ddawns dros yr ysgub, mi dorrodd y llwyfan ac mi aeth fy nghlocsiau a fy nghoesau drwy'r llawr. Roeddwn yn sownd, a neb yn gwybod sut i ymateb, ond daeth ffraethineb Dave i'n hachub gyda'r sylw dros y meic i'r gynulleidfa: 'Don't worry – it's just a stage he's going through!'

Roedd Nansi hefyd wedi bod yn dilyn ein datblygiad fel grŵp ac yn ymfalchïo yn ein llwyddiant. Roedd hynny yn deimlad braf iawn, ac roeddwn wrth fy modd pan gefais wahoddiad gan ei chyfaill, Iona Trevor Jones, i fynd i ddathlu pen-blwydd Nansi yn 90 ym Mlas Trelydan, ger y Trallwng. Roedd o'n gyfle i ddeud wrthi am yr ymateb yr oeddem yn ei gael mewn gwahanol wledydd, a'r diddordeb brwd oedd yn cael ei ddangos yn y delyn deires. Yn aml ar ddiwedd cyngherddau byddai rhywun yn dod ataf ac yn gofyn, 'How do you get your fingers in to the middle row?' Roedd hi wrth ei bodd ac mor falch fod y delyn deires yn cael ei gweld ar y llwyfannau dramor. Erbyn diwedd 1979, fodd bynnag, roedd iechyd Nansi wedi dirywio'n arw. Doedd ei golwg ddim yn dda, a doedd hi ddim yn gallu defnyddio un o'i breichiau, ond mi lwyddodd i ganu'r delyn am y tro olaf yn gyhoeddus yn fy mhriodas gyntaf i yn yr Hydref, ac roeddwn yn hynod ddiolchgar iddi am hynny. Yn hwyrach y flwyddyn honno, ar Ragfyr 21ain, bu farw Nansi a rhoddwyd hi i orwedd gyda'i gŵr Cecil ym mynwent Pennant Melangell ar noswyl y Nadolig. Fe gymerodd Dad ran yn y gwasanaeth ond er syndod i mi a Dad, telyn fud oedd canolbwynt y gwasanaeth. Dwi'n siŵr mai'r gwrthwyneb fyddai wedi plesio Nansi. Rwyf wedi bod heibio'r bedd droeon wedi hynny, sydd mewn llecyn bach hyfryd i fyny'r cwm.

> Mae patrwm fy medd yn Cwm Pennant,
> Bum troedfedd a modfedd ei hyd,
> I'm hymyl daw'r cyrliw a'r phesant,
> Yn swiliach daw rhegen yr ŷd.
> Rwy'n gwybod yn eithaf na fyddaf
> Bryd hynny yn cysgu'n rhy drwm
> I glywed Nant Ewin yn canu
> A solo hen bistyll Blaen Cwm.

> Nansi Richards

Pan adawodd Dave ddiwedd y flwyddyn, felly, roedd yna benderfyniad mawr i'w wneud. A oeddem am roi'r ffidil yn y to, neu adeiladu ar lwyddiant y tair blynedd a cheisio cael aelodau newydd. Roedd digon o waith i'w gael ar y cyfandir, gydag asiant mewn sawl gwlad erbyn hyn yn barod i'n cymryd. Roedd yna'n dal rhyw bosibilrwydd hefyd o gael gwahoddiad i gymryd rhan mewn dwy ŵyl enfawr yng Nghanada, sef gwyliau *folk, jazz and blues* rhyngwladol Winnipeg a Vancouver. Dyma

59

oedd un o'r rhesymau dros beidio â pharhau gyda'r cyfweliad ar gyfer cwrs ymarfer dysgu i fod yn onest. Felly dyma osod hysbyseb yn *Y Cymro* am ganwr/gitarydd a ffidlwr i ymuno â grŵp gwerin yn llawn amser. Doeddwn ni ddim yn disgwyl llawer o ymateb i ddweud gwir, ond dyma Jên, gwraig Geraint yn holi, pam na fuaswn yn gofyn iddo fo? Er ein bod yn ffrindiau ers dyddiau'r sioe *Harping Around* efo Cwmni Theatr Cymru yn 1975 ac wedi bod yn cynnal ambell noson o ganu anffurfiol mewn nosweithiau gyda ffrindiau yn Clanfield, ger Rhydychen, neu i lawr yn Solfach a Thyddewi, doedd o ddim wedi croesi ein meddyliau y byddai Geraint yn cymryd y risg o roi'r gorau i'w waith fel Technegydd Awdioleg mewn ysbyty a dod ar y lôn yn llawn amser. Un arall oedd yn meddwl rhoi'r gorau i'w swydd fel athro Mathemateg yn Ysgol Penweddig, Aberystwyth, oedd ffidlwr y grŵp Mynediad am Ddim, sef Graham. Yn ôl y sôn, cafodd y ddau sgwrs ar y ffôn ac meddai un wrth y llall, 'mi wna i os wnei di' – a dyna fu.

Fe benderfynon ni o'r dechrau y byddai'n rhaid i ni roi trefn ar y gwaith a thalu cyflog sefydlog i'n hunain waeth faint o gyngherddau oedd gennym ni bob wythnos. Fe dreulion ni y rhan fwyaf o fis Ionawr yn ymarfer a dysgu deunydd newydd, ac yna mynd ar daith fer o gwmpas Cymru, cyn mynd i ogledd Lloegr ac yna i'r Alban, i Ŵyl Werin Caeredin. Roedd yna gyngerdd arbennig yn yr enwog Usher Hall yng Nghaeredin, sef *Concert of the Kingdoms* ac Ar Log oedd yn cynrychioli Cymru. Hwn oedd y cyngerdd mawr cyntaf, a'r prawf mwyaf i Ar Log ar ei newydd wedd, ac ar ôl y cyngerdd hwnnw, dwi'n credu i ni gyd ymlacio tipyn a mynd mewn i ryw fath o *routine*. Roedd rhaid gwneud i ddweud gwir gan fod gennym nifer o glybiau gwerin yn Lloegr ar y gweill, ac yna naw wythnos o daith yn Llydaw, yr Almaen ac Awstria.

Roedd yna dipyn o fynd a dod rhwng Cymru a thramor, a'r ymweliad byrraf yn ôl adref oedd yr un i newid fan, mae'n siŵr, pan chwythodd yr hen Sherpa ei phlwc yn y Goedwig Ddu. Ond dechreuodd y grŵp gael ei geryddu gan rai yng Nghymru, yn enwedig yng nghylchgrawn *Sgrech*, am feiddio mynd oddi allan i Gymru i berfformio. Roedd hyn yn anodd ei ddallt gan fod rhaid i'r grŵp berfformio tua phedair gwaith yr wythnos ar gyfartaledd, bob wythnos o'r flwyddyn, er mwyn ennill bywoliaeth. Byddai hyn yn gwbl amhosib yng Nghymru yn unig. Hefyd, un o brif amcanion y grŵp oedd mynd â'n caneuon traddodiadol Cymraeg a'n halawon Cymreig i gymaint o gynulleidfa â phosib dros y byd. Y gobaith hefyd oedd y byddai eraill yn gwneud yr un fath, gan ddilyn patrwm y grwpiau o Iwerddon a'r Alban oedd yn teithio ac allforio eu diwylliant yn llwyddiannus iawn ers blynyddoedd lawer.

Gyda'r *line-up* newydd daeth cynnig gan Dingle's yn Llundain i recordio albym arall yn dilyn llwyddiant y label gyda'r sengl 'Daytrip to Bangor' gan Fiddler's Dram. Roedd Sain, fodd bynnag, wedi agor stiwdio newydd 24 trac yn Llandwrog, ac o gofio'r profiad o recordio yn Llundain dyma gynnig ein bod yn recordio yn Sain, ond bod yr albym yn cael ei rhyddhau ar label Sain yng Nghymru ac ar label Dingle's y tu allan i Gymru, gan fod ganddynt rwydwaith dosbarthu yn Lloegr a'r Alban. Cytunwyd ar gyd-gynhyrchiad, ond gyda'r holl deithio, roedd hi'n hanfodol ein bod yn cael ein system sain ein hunain, ac i gloi'r trafodaethau cytunwyd rhwng Dingle's, Sain a ninnau ein bod yn cael system sain fel blaendal ar y gwerthiant. Pan gyrhaeddodd y system sain newydd roeddwn fel plentyn bach. Darllenais y cyfarwyddiadau a ddaeth gyda'r ddesg gymysgu o glawr i glawr er mwyn sicrhau fy mod i'n deall beth oedd pwrpas pob swits a nobyn. Yr hen ysfa *control freak* 'na yn codi ei ben eto mae'n siŵr, a'r awydd i ddeall y *minutiae*. Daeth Ar Log II allan gyda chlawr mewn pum iaith ar gyfer y teithio, sef Cymraeg, Saesneg, Ffrangeg, Llydaweg ac Almaeneg, ac mi roedd y gynulleidfa yn gwerthfawrogi hyn yn fawr. Erbyn hyn, wrth edrych yn ôl, mae'r holl deithio a'r blynyddoedd yn tueddu i doddi yn un, ond wrth edrych ar yr hen gloriau, rwy'n sylwi fod y drydedd albym wedi dod allan yn ystod haf 1981 o dan yr un amodau. Dwi ddim yn cofio'r trafodaethau hynny, ond dwi yn cofio rhyw fand arall yn sôn wrthym eu bod nhw yn cael offerynnau am ddim gan y gwneuthurwyr ar yr amod eu bod yn cael eu hysbysebu ar glawr yr albym, posteri, taflenni ac yn y blaen. Felly dyma roi cynnig arni, ac er syndod, dim ond wrth nodi gwerthiant yr albymau blaenorol a dangos rhestr y teithiau oedd i ddod, cawsom delyn Clarsach gan gwmni Pilgrim Harps o Surrey a ffliwt gan gwmni Trevor James o Lundain oedd yn mewnforio ffliwtiau o'r America – chewch chi ddim byd heb ofyn!

Roedd 1982 yn flwyddyn arbennig, fodd bynnag. Yn ystod yr eira mawr ym mis Ionawr yng Nghaerdydd cafodd Elis Dafydd, fy mab cyntaf ei eni. Dyna wefr! Roeddwn yn dad yn 25 oed, ac mae bod yn dad am y tro cyntaf yn rhywbeth wna i fyth anghofio. Y cyfrifoldeb sy'n taro rhywun yn fwy na dim – y ffaith fod bywyd arall yn llwyr ddibynnol arnoch chi. Ond cyn bod siawns i addasu yn iawn, roedd taith arall ar y gweill, ond yng Nghymru y tro hwn. Roeddem wedi bod mewn digwyddiad yn Berlin y flwyddyn cynt tra roedd Dafydd Iwan yno ac wedi rhyw sôn am wneud taith efo'n gilydd. Erbyn dechrau 1982 roedd Dafydd wedi cael syniad ar gyfer y daith, sef cofio 700 mlynedd ers marwolaeth Llywelyn yn 1282, ac roedd o wedi cyfansoddi cân arbennig, sef 'Cerddwn Ymlaen'. Roedd y noson gyntaf yng Nghlwb Rygbi Llangennech ger Llanelli, ond ara deg braidd oedd gwerthiant y tocynnau. Fe benderfynon ni recordio'r gân 'Cerddwn Ymlaen' ym mis Ionawr gyda'r bwriad o'i rhyddhau fel sengl rhywbryd yn ystod y daith, ond daeth y rhaglen newyddion ar y pryd (cyn dyfodiad S4C) i'n ffilmio'n recordio'r gân yn Sain, a darlledu'r eitem y noson cyn y cyngerdd. Gwnaeth hynny'r tric, ac roedd pob tocyn wedi ei werthu erbyn amser cinio'r diwrnod wedyn. Yn wir fe werthodd gweddill y daith yn dda hefyd wedi hynny – 26 o nosweithiau i gyd. Erbyn diwedd y daith roedd Graham wedi cychwyn cael gwaith gyda HTV yn cyflwyno'r rhaglen 'Sêr', ac wedi penderfynu rhoi'r gorau i'r teithio, ond roedd gennym flwyddyn lawn iawn o'n blaenau ac felly roedd rhaid cael ffidlwr arall os yn bosib. Un o'r gwesteion ar y rhaglen 'Sêr' oedd cerddor ifanc o Rydaman o'r enw Stephen Rees, oedd yn cyfeilio i grwpiau dawns ac oedd am gymryd blwyddyn allan cyn cychwyn ym Mhrifysgol Caergrawnt i astudio Cerdd. Fe gafodd Graham sgwrs efo Stephen ac yna ein cyflwyno iddo, a doedd dim rhaid meddwl dwywaith. Roedd o'n offerynnwr gwych, ac fe benderfynodd ymuno â ni am weddill y flwyddyn, ond mi gafodd fedydd tân dwi'n ofni. Roedd taith arall gennym ni yn syth i'r Almaen a'r Swistir, roedd angen recordio'r albym *Rhwng Hwyl a Thaith* efo Dafydd Iwan, perfformio i'r Pab o flaen 300,000 o gynulleidfa yn Blackweir yng Nghaerdydd, yna yn ôl i'r Swistir a'r Eidal, ac i Ganada a'r Unol Daleithiau yn yr haf.

Roedd ymweliad y Pab â Chaerdydd yn achlysur arbennig iawn. Roedd Dave Burns wedi ailymuno efo Frank Hennessy a Tom Edwards i atgyfodi'r Hennessys, ac roedd Ar Log a'r Hennessys wedi cael gwahoddiad i berfformio yn ystod yr Offeren ar y caeau tu ôl i Gastell Caerdydd. Dwi'n cofio fod rhaid i ni fod yna erbyn tua 5 y bore, ac fe osodwyd ni ar lwyfan bach ar ben tŵr sgaffaldiau i'r dde o'r prif lwyfan a'r allor. Ymhen dwy awr roedd cannoedd o filoedd o bobl wedi cyrraedd, ac yna daeth John Paul II yn ei gerbyd enwog *The Popemobile* drwy'r gynulleidfa at y llwyfan a dweud yn Gymraeg 'Bendith Duw arnoch'. Ein dyletswydd ni oedd chwarae medli fach o alawon Cymreig tra roedd y Pab yn cysegru'r bara. Mae'n bosib fod ein medli wedi bod ychydig yn rhy hir, ond chwarae teg, mi ddisgwyliodd y Pab i ni orffen cyn parhau gyda gwasanaeth yr Offeren. Hon oedd y gynulleidfa fwyaf i ni ei chael, heb os, ond yno i weld y Pab oedd pawb, wrth gwrs. Eto, mi roeddwn i ychydig yn nerfus, ond nid o safbwynt y chwarae, ond o ran amseru, a bod rhaid i ni gychwyn chwarae ar yr amser iawn, gan nad oedd cyfle i ymarfer rhediad y gwasanaeth o gwbl.

Roedd Taith 700 a'r albym *Rhwng Hwyl a Thaith* gyda Dafydd Iwan wedi bod yn llwyddiant mawr, ac fe arweiniodd at gyfres ar y sianel deledu newydd yn yr hydref. Felly fe benderfynon ni drefnu taith arall ar gyfer dechrau 1983. Roedd Dafydd wedi cyfansoddi cân ar gyfer y daith oedd yn seiliedig ar ddathlu 1,600 o flynyddoedd ers i Macsen Wledig adael Cymru fel un wlad am y tro cyntaf. Fe chwaraeodd Dafydd y gân i ni gefn

llwyfan yn Noson Wobrwyo Sgrech yng Nghorwen, a gafaelodd
Geraint yn ei gitâr hefyd a chychwyn chwarae gyda'r rhythm, a
thrio rhyw gord eitha dramatig fel cyflwyniad, cyn i Gwyndaf a
mi ychwanegu'r telynau. Ymhen dim, roedd hi'n amlwg fod hon
am fod yn gân arbennig iawn ac yn arwyddgan berffaith i daith
Macsen, sef *Yma o Hyd*. Roedd Dafydd hefyd wedi cyhoeddi
mai hon fyddai ei daith olaf ac yn dilyn hynny fe werthwyd y
tocynnau i gyd ar gyfer yr 16 noson ymhen dim, ac roedd rhaid
i ni ychwanegu nosweithiau i'r daith a pherfformiadau yn y
pnawn mewn ambell leoliad.

Roedd diwedd taith Macsen ar ddiwedd mis Mawrth 1983
yn drobwynt mawr i mi, gan ein bod hefyd fel grŵp wedi
penderfynu rhoi'r gorau i deithio'n llawn amser. Roedd Stephen
wedi bod yn cymryd amser i ffwrdd o'r coleg i ymuno â ni
ar y daith, ond bellach roedd rhaid iddo roi mwy o amser i'r
coleg cyn arholiadau'r haf. Roeddwn i hefyd wedi cael sioc un
diwrnod o gyrraedd adref ar ôl teithio. Roedd Elis y mab, oedd
bellach yn 14 mis oed, yn mynnu mynd at y llun ohonof ar y
silff ben tân a dweud 'Dad' yn hytrach na dod ataf i. Fe wnaeth
hynny wneud i mi deimlo yn ofnadwy o euog, a gwneud i mi
sylweddoli faint yr oeddwn wedi colli o'i ddatblygiad cynnar,
ac felly, ar ôl saith mlynedd o deithio yn llawn amser, roedd
hi'n amser meddwl am newid gyrfa.

Cychwynnais adolygu cyngherddau i Radio Cymru, ac mi
gefais gyfnod fel ymgynghorydd cerdd ar gyfresi HTV, ond
gyda phlentyn arall ar y ffordd yn yr haf, roedd rhaid cael
rhywbeth mwy sefydlog. Yn dilyn taith Macsen fe aethom
yn ôl i'r stiwdio i recordio caneuon y daith gyda Dafydd, gan
gynnwys y gân 'Yma o Hyd' wrth gwrs, ac fe gefais y fraint
o gynhyrchu'r albym, gan fy mod wedi ymddiddori fwyfwy
yn yr ochr dechnegol, ac wedi bod yn gyfrifol am sain y grŵp
wrth deithio. Dyma'r math o waith yr oeddwn yn ei fwynhau a
dweud y gwir – yn y byd adloniant, ond y tu ôl i'r llenni neu'r
meic ac yn cael cyfle i arbrofi gyda thechnegau gwahanol.
Gyda Stephen a Graham ar y ffidlau, a pheiriant 24 trac, roedd
modd adeiladu sŵn llinynnol cerddorfaol, yn enwedig ar 'Yma

o Hyd'. Fersiwn eitha acwstig o'r gân oedd gennym ar lwyfan, ond yn y stiwdio roedd modd ychwanegu drymiau, offerynnau pres, nifer o leisiau a chreu sŵn mawr anthemig. Dwi'n cofio treulio amser maith yn ceisio creu sŵn cloch angladdol ar gyfer y darn '...byddwn yma hyd ddydd y farn', ond doedd o ddim yn gweithio. Yn y diwedd gofynnais i'r trwmpedwr Wyn Williams chwarae ffanfer, sawl gwaith, gyda harmonïau, oedd yn swnio'n llawer gwell.

Rhyw ddiwrnod neu ddau ar ôl i Meirion, yr ail fab, gael ei eni, cefais gyfweliad yn y BBC ar gyfer swydd Ymchwilydd Teledu yn yr Adran Blant. Un cwestiwn gan Teleri Bevan, oedd yn Bennaeth Rhaglenni ar y pryd, oedd 'Beth da chi wedi ei weld yn y papurau heddiw fyddai'n gwneud stori dda i raglen blant?' Mi roedd rhaid i mi gyfaddef wrth ymateb nad oeddwn wedi gweld papur newydd o gwbl ers rhai diwrnodau gan i mi ddod yn dad eto. Wn i ddim os oedd yr ateb o gymorth ai peidio, ond jest cyn i ni berfformio gyda Dafydd Iwan mewn sied orlawn yn Nhafarn y Rhos yn Eisteddfod Llangefni rhai wythnosau wedyn, mi ges wybod fy mod wedi cael y swydd.

Roedd hi'n od iawn cael swydd oedd fwy neu lai yn naw tan bump, ond roedd y sefydlogrwydd yn rhyddhad mawr gyda dau o blant bach. Dim ond deunaw mis oedd rhwng y ddau, ond roeddent yn gymeriadau hollol wahanol. Roedd Mei yn llawn bywyd a wastad yng nghanol rhyw helynt. Dwi'n credu for y Cardiff Royal Infirmary wedi neilltuo *cubicle* yn arbennig iddo fo, gymaint oedd ein hymweliadau â'r lle. Ond roedd Elis wastad yn tueddu i osgoi'r trafferthion, neu o leiaf osgoi cael ei ddal!

Roedd galw o hyd am wasanaeth Ar Log, yn enwedig i wneud cyngherddau gyda Dafydd Iwan, ac fe wnaethom recordio albym arall i label Dingle's, sef *Meillionen*, oedd yn gyfeiliant pwrpasol ar gyfer dawnsfeydd gwerin Cymreig. Yn y BBC, roedd y profiad technegol oedd gen i o fod mewn stiwdio sain a chlust gerddorol o gymorth mawr wrth drosleisio cyfresi animeiddiedig i'r Adran Blant, a hefyd wrth recordio a ffilmio bandiau newydd ar gyfer rhaglenni fel *Yr Awr Fawr*, ac yn ddiweddarach, *Hanner Awr Fach* a *Hanner Awr Fwy*. Cefais gyfle i gychwyn cyfarwyddo rhaglenni teledu byw o'r stiwdio, oedd yn hollol gyffrous, ac yna mynd ar gwrs cyfarwyddo'r BBC, ac fe arweiniodd hynny at symud criw ohonom oedd ar y cwrs i uned newydd a chychwyn cyfres o raglenni newydd ar BBC Wales ac S4C. Roedd cyfle i arbrofi gyda bandiau yn y stiwdio ac wrth roi rhaglenni wythnosol newydd fel *Juice, Computer Challenge* a'r *Chris Stuart Cha, Cha, Chat Show* at ei gilydd yn ogystal â rhaglen fyw Hywel Gwynfryn ar S4C bob nos Sul. Y tro cyntaf i mi gyfarwyddo'r rhaglen honno rhyw nos Sul, dyma'r pennaeth sain yn pasio y tu ôl i'm cadair yn y galeri, rhyw funud cyn mynd ar yr awyr, a dweud yn ddistaw yn fy nghlust,

'This is when you find out the colour of adrenaline is brown'.

Os oedd o'n credu y byddai hynny yn fy nghynhyrfu i, dwi'n ofni mai y gwrthwyneb ddigwyddodd – roeddwn i'n benderfynol o ddangos mod i'n gallu gwneud hyn. Mae'n bosib mai dyna oedd ei fwriad yntau hefyd! Y tro cyntaf i mi recordio bandiau yn y stiwdio deledu, roeddwn wedi paratoi sgript camera gyda disgrifiad manwl iawn ar gyfer pob *shot*. Mi wnes i sylwi, fodd bynnag, wrth ymarfer y *shots*, nad oedd camera 4 wedi cwblhau un *shot*. Ar ddiwedd yr ymarfer cynta' mi wnes i ofyn dros y *talkback*,

'Hello camera 4, is there a problem with shot 54?'

A'r ateb: 'Dafydd, I haven't got time to read it let alone do it!'

Mae gan y technegwyr a'r criw ffordd dda iawn i sicrhau nad ydi rhywun yn mynd yn orhyderus yn rhy gyflym. A'r wers? Cadw pethau'n syml ac ymddiried ym mhrofiad yr arbenigwyr. Dwi'n cofio un tro golygu rhaglen, o bosib am y tro cyntaf, a dyma'r golygydd yn gofyn i mi,

'Do you want some black and burst?'

Doedd gen i ddim syniad beth oedd 'black and burst', felly wnes i ymateb,

'Yeah, ok then.'

'How much do you want?'

Roeddwn i'n styc braidd rŵan, ond yn rhy styfnig i gyfaddef nad oeddwn yn gwybod beth oedd 'black and burst'.

'Oh, about average', meddwn i.

Roedd y peiriannydd yn gwybod yn iawn nad oedd gen i syniad beth oedd o, ond dyna wers arall wedi ei dysgu – peidio byth â bod ofn dweud nad ydach chi'n deall. Gyda llaw, gosod düwch a *time code* ar y tâp newydd glân oedd y bwriad, er mwyn golygu, felly faint oedd hyd y rhaglen oedd y peiriannydd angen gwybod!

Drwy'r haf byddwn yn cyfarwyddo rhaglenni o Eisteddfod Llangollen, Y Sioe Fawr a'r Eisteddfod Genedlaethol, a bu cyfle hefyd i recordio albym arall efo Ar Log, sef *Ar Log IV*, y tro hwn ar ein label ein hunain, ar ôl teithio i'r gwyliau mawr yng Nghanada. Roeddwn wrth fy modd yn cael y cyfle i gyfuno'r ddau fyd, ac roedd y BBC yn hael iawn gyda'r cyfnodau di-dâl i ffwrdd i alluogi hyn i ddigwydd.

Ar ddydd Calan, 1985 ar ôl perfformio'r noson gynt yn ardal Castellnewydd Emlyn, roeddem fel grŵp yn trafod *Band Aid* oedd wedi bod ar frig y siartiau dros y Nadolig. Fe gynigiodd Iolo (oedd wedi ailymuno gyda'r grŵp erbyn hyn) ein bod yn gwneud rhywbeth tebyg yn Gymraeg ar gyfer yr elusen. Roedd pawb yn credu y byddai'n syniad da ac yn werth rhoi cynnig arni. Gan fy mod i mewn swyddfa yn ystod y dydd ac wedi bod yn cysylltu gyda nifer o grwpiau, cerddorion a chantorion ar gyfer y rhaglenni plant, mi ges i'r job o drefnu'r recordiad. Roedd Dyfed Glyn Jones, Pennaeth yr Adran, yn gefnogol iawn i'r syniad ac yn hapus i mi ddefnyddio adnoddau'r swyddfa yn fy awr ginio i drefnu pethau. Fe ofynnon ni i Huw Chiswell i gyfansoddi'r gân, i Myfyr Isaac gynhyrchu, ac yna i griw o gerddorion yr oeddwn wedi bod yn gweithio gyda nhw ar eitemau i'r BBC, sef Graham Land (drymiau), Chris Childs (bas), Graham Smart (allweddellau), Tich Gwilym (gitâr flaen) i recordio'r trac cefndir efo ni yn Stiwdio Loco ger Caerleon. Ymhen dim, fe dyfodd yr holl beth fel caseg eira, ac roedd hynny yn dychryn rhywun braidd – roedd hi'n rhy hwyr i droi'n ôl ac felly roedd rhaid sicrhau ein bod yn mynd â'r maen i'r wal. Fe gytunodd pawb yn syth i wneud popeth am ddim, ac ar ôl trefnu dyddiadau yn y stiwdio daeth y gwaith o drio ffonio cynifer o gantorion ag y gallem ni i ddod i ganu ar yr ail ddiwrnod ar ôl recordio'r trac. Roedd hi wedi bod yn gyfnod braidd yn annifyr yn y sin gerddoriaeth gyda chryn ddadlau a chwyno am bwy oedd yn cael sylw, cyhoeddusrwydd a gwaith gan y cyfryngau, yn dilyn sefydlu S4C. Ond mi ddaeth pawb o bob maes, boed yn werin, pop, roc neu wlad, ac o bob rhan o Gymru, i gymryd rhan yn y recordiad o'u gwirfodd. Roedd hynny yn rhyddhad mawr i mi, ac roedd cwblhau'r prosiect yn rhywbeth dwi'n falch iawn ohono hyd heddiw. Mae un achlysur yn ystod y broses wedi ei serio ar fy nghof i am byth ar ôl i bawb o'r cantorion a'r rhan fwyaf o'r offerynwyr adael y stiwdio. Roedd hi'n hwyr yn y nos a dim ond Nick y peiriannydd, Myfyr Isaac, Tich Gwilym a fi oedd ar ôl yn gosod y *lead-break* ar y gân. Ar ôl ymarfer ychydig a chwarae llinell bob yn ail, dyma'r ddau yn cyd-chwarae'r llinell olaf mewn harmoni, yn gwbl reddfol heb ymarfer. Daeth gwên fawr ar wyneb y peiriannydd – dyna hi – honna oedd y *take*. Rhyddhawyd y sengl ar Fawrth 1af ar label Recordiau Ar Log.

Ces gyfarfod gyda Bob Geldof pan oedd y Boomtown Rats yn chwarae yng Nghaerdydd er mwyn i'r fersiwn Gymraeg gael ei fabwysiadu yn swyddogol fel rhan o ymgyrch *Band Aid*. Roedd Geldof yn ddigyfaddawd pan ofynnais am gyngor o ran y dosbarthu:

'Tell them everyone's doing it for nothing, and if they don't agree tell them to f*** off!' Dilynais ei gyngor a llwyddwyd i werthu 25,000 o gopïau!

Erbyn 1986 roedd hi'n ddeg mlwyddiant y grŵp ac felly roedd hi'n amser am daith arall, ac ar wahân i wahodd Dafydd Iwan fel gwestai arbennig fe ddaeth Graham Pritchard a Dave Burns yn ôl hefyd i ddathlu efo ni, ac mae'r ddau wedi bod yn rhan annatod o Ar Log ers hynny. Fe aeth y daith yma â ni yn ôl i'r Almaen hefyd i ailymweld â rhai o'r clybiau gwerin yr oeddem wedi bod yn perfformio ynddynt ar ddechrau'r degawd. Roedd cyngerdd agoriadol Eisteddfod Abergwaun hefyd yn uchafbwynt er gwaetha'r storm anferth y noson gynt. Roedd Stephen wedi cyfansoddi alaw yn arbennig i ni gyfeilio i Ddawnswyr Nantgarw a chriw o ddawnswyr o Iwerddon, sef 'Rîl Abergwaun'. Fe drefnon ni gyngerdd hefyd gyda Dafydd Iwan yn Hwlffordd yn ystod yr wythnos ac roedd y noson honno yn un o uchafbwyntiau'r flwyddyn i mi.

Un o fanteision gweithio i gorfforaeth anferth fel y BBC yw'r cyfleoedd ar gyfer ceisio am swyddi gwahanol neu secondiad mewn adrannau eraill yn unrhyw ran o'r cwmni. Gan fy mod wedi bod yn gweithio ar y gyfres o'r enw *Computer Challenge* ac yn datblygu'r defnydd o gyfrifiaduron (elfennol iawn ar y pryd) ar gyfer graffeg, daeth cais gan y BBC yn Llundain i mi gyfarwyddo cyfres yno. Cefais sêl bendith fy rheolwyr yng Nghaerdydd ac mi gefais secondiad am tua chwe mis yn Ealing Broadway yn gweithio ar y gyfres *Go For It!* i BBC1, sef rhaglen oedd yn ceisio annog teuluoedd i fyw yn iach. Wnes i ddim mwynhau byw yn Llundain rhyw lawer. Roedd gen i fflat yn Hanwell, roedd y swyddfa yn Ealing a'r golygu yng nghanolfan enwog y BBC yn Shepherd's Bush, ond roeddem yn defnyddio'r stiwdio deledu ym Mryste! Roedd y rhan fwyaf o'r wythnos yn cael ei gwastraffu yn teithio, ond roedd gweithio ar y rhaglen yn agoriad llygad. Gyda thua 7 miliwn o wylwyr yn gwylio'r gyfres yn wythnosol, roedd y gyllideb yn llawer uwch na'r hyn oedd yn arferol yng Nghaerdydd, ac wedi fy ngalluogi i ddefnyddio'r profiad a gefais ar y gyfres *Computer Challenge* i gynnwys graffeg cyfrifiadurol yn y rhaglenni. Roedd yr atebolrwydd hefyd yn uchel a chyfarfodydd rheolaidd i drafod y cynllunio, y cynnwys a'r adborth yn dilyn darllediadau. Dwi'n cofio un o'n heitemau oedd yn erbyn hysbysebu sigarennau mewn chwaraeon yn cael ei chanslo dan orchymyn penaethiaid y BBC oriau yn unig cyn y darllediad. Doedd dim rhesymau arbennig o ddilys am hyn, ond y si oedd bod dylanwad y cwmnïau tybaco yn fawr iawn ar y gorfforaeth bryd hynny. Yn ystod recordio un rhaglen yn y stiwdio, fodd bynnag, cefais un o'r pyliau llewygu eto. Doedd hyn ddim wedi digwydd o'r blaen yn ystod fy ngwaith, ac roeddwn yn poeni braidd a fyddai'n amharu ar fy ngallu i weithio fel cyfarwyddwr yn y dyfodol.

Dychwelais i Gaerdydd i'r Adran Gerdd a Digwyddiadau, eto i weithio yn bennaf ar ddigwyddiadau fel Plant Mewn Angen, *Cardiff Singer of the World*, *Proms Cymru* yn ogystal â'r Eisteddfodau a'r Sioe Fawr. Ond fe roddodd un gyfres fwy o bleser i mi nag unrhyw un arall. Wrth weithio yn y stiwdio ym Mryste, bûm yn siarad gyda'r criw oedd yn gweithio ar *The Antiques Roadshow*, ac mi gefais y syniad o wneud rhywbeth tebyg yn Gymraeg ond gan ganolbwyntio ar yr ochr werinol. Nid y creiriau yn unig, na'r gwerth ariannol, ond yn hytrach canolbwyntio ar y diwylliant a'r traddodiadau a chael arbenigwyr i drafod hyn gyda'r cyhoedd oedd yn galw i mewn i'r canolfannau. Cytunodd y diweddar Dr Meredydd Evans i gyflwyno'r gyfres ac fe gynhyrchon ni ddwy gyfres o'r *Sioe Werin* ar gyfer S4C. Roedd hi'n bleser pur cael datblygu'r cyfresi hyn. Cael teithio hyd a lled Cymru – ymweld ag ardaloedd diarth, dod yn ffrindiau gyda'r arbenigwyr, a dysgu llwyth am ein hanes a'n diwylliant. Erbyn mis Medi 1988, roedd hi'n amser mynd yn ôl i'r stiwdio recordio unwaith eto, a gan ein bod ni i gyd bellach yn gweithio yn llawn amser, ac yn methu rhoi digon o amser i'r gweinyddu a'r dosbarthu, fe aethom yn ôl at label Sain ar gyfer *Ar Log V*. Fe recordion ni rhywfaint o'r traciau, fodd bynnag, yn ôl yn Stiwdio Loco, Caerleon, a'r gweddill yn Stiwdio Sain, ond roedd cael pawb at ei gilydd bellach yn anodd. Diolch byth, roedd y teithiau i Dde America wedi golygu ein bod wedi cael cyfle i berfformio'r traciau a'i mireinio ychydig cyn mynd i'r stiwdio, ac mae hyn wastad yn gwneud y broses recordio yn haws. Roedd Iolo a Stephen hefyd yn gweithio'n dda gyda'i gilydd, a'r ddau yn cyfansoddi alawon gwreiddiol yn ogystal â threfnu'r hen alawon traddodiadol.

Daeth ail hanner yr 80au, fodd bynnag, â newidiadau mawr i 'mywyd. Mae tor-priodas yn boenus i bawb sydd ynghlwm â'r peth, ac mae gen i gydymdeimlad gydag unrhyw un sydd yn mynd, neu wedi mynd drwyddo. Ond os oes unrhyw rithyn o unrhyw beth positif ynddo, yna'r ffaith ei fod yn dangos pwy yw eich ffrindiau go iawn a phwy yw'r rhagrithwyr yw hynny. Os oes plant yn rhan o'r gwahanu, y peth pwysicaf un dwi'n credu yw sicrhau nad yw'r plant yn cael eu defnyddio mewn unrhyw ffordd, a bod cysylltiad agos yn cael ei gadw. Dwi'n hynod falch mai dyna ddigwyddodd yn ein hachos ni.

Erbyn diwedd yr 80au, roedd Mam hefyd yn sâl iawn ac yn dioddef o ganser Non-Hodgkins Lymphoma, ac er y driniaeth doedd dim gwella a chollodd y frwydr yn erbyn y salwch ym mis Hydref, 1989, dim ond cwta flwyddyn ar ôl darganfod y canser. Roedd Dad a Mam wedi ymddeol i Lanfairpwll ers dechrau'r 80au, a Dad wedi cael ei dderbyn fel un o Ganoniaid Anrhydeddus Esgobaeth Bangor. Gan fod Mam yn 11 mlynedd yn iau na Dad, hi oedd wedi bod yn gyfrifol yn bennaf am y symud a chael y cartref newydd i drefn. Yn ystod y flwyddyn felly roedd Mam yn poeni am beth fyddai'n digwydd pe na bai gwella'n bosib. Yn dilyn ei marwolaeth daeth yn amlwg faint oedd Mam wedi bod yn gwarchod a chuddio salwch cynyddol Dad. Dim ond yn raddol mae rhywun yn sylwi ar effaith *dementia* ar eraill, ac mae'n hawdd ei wadu neu wrthod ei dderbyn, ond derbyn oedd raid yn y diwedd. Un o'r penderfyniadau mwyaf anodd oedd ei rwystro rhag gyrru'r car, ond doedd dim dewis. Roedd tolc wedi ymddangos ar ochr y car a Dad yn methu egluro beth oedd wedi digwydd. Roedd yr arwyddion wedi bod yno ers tro – gorfod mynd â'r car i'r garej yn aml gan fod y *clutch* wedi gwisgo, er enghraifft. Er y protestio, oedd yn torri 'nghalon i ar y pryd, er mwyn diogelwch Dad ac eraill, roedd rhaid mynd â'r car oddi yno.

Roedd Elis a Mei bellach wedi symud i'r gogledd gyda'u mam, ac roeddwn innau wedi cyfarfod Siân Wheway, oedd wedi rhoi gorau i'w swydd fel athrawes yn y gogledd er mwyn cychwyn cwrs ôl-radd yng Ngholeg Cerdd a Drama Caerdydd. Roeddwn yn gyfarwydd â Siân fel cantores a chyfansoddwraig, ac roeddem yn amlwg yn rhannu'r un diddordebau. Ymhen ychydig fe benderfynon ni fyw gyda'n gilydd yn Nhreganna, Caerdydd. Roedd newidiadau mawr yn y BBC hefyd yn golygu diswyddiadau ac amodau gwaith eithaf anodd, ac yn ystod

71

1989 roedd y ddau ohonom wedi cael cadarnhad o waith yn y gogledd gyda'r clwstwr newydd o gwmnïau teledu annibynnol oedd yn tyfu yng nghyffiniau Caernarfon. Rhwng popeth felly, sefyllfa fregus Dad wrth iddo geisio byw ar ei ben ei hun, bod yn nes at Elis a Mei, a'r cyfle am yrfa newydd yn llawrydd, fe symudodd Siân a fi i fyw i lecyn o'r enw Bwlch, uwchben Cwm y Glo, ar y ffordd gefn rhwng Llanrug a Llanberis.

Y Swistir

PETH RHYFEDD YW'R modd mae rhywun yn magu ymlyniad â gwlad arbennig. Rydym wedi cyfarfod llawer un yn y gynulleidfa yn ystod ein teithiau gydag Ar Log sydd wedi datblygu affinedd tuag at Gymru, er nad oedd ganddynt unrhyw gysylltiad o gwbl â'r wlad. Mae rhai hyd yn oed wedi penderfynu dysgu'r iaith a dod yma i fyw. Mae gen i affinedd yn bendant tuag at y Swistir a dwi ddim yn sicr pam y fath agosatrwydd. Cychwyn yr atyniad o bosib oedd gwylio'r gyfres *The Adventures of William Tell* ar deledu du a gwyn ers talwm a Conrad Phillips yn actio'r arwr. Neu o bosib ar ôl gweld *The Sound of Music* yn y Plaza ym Mangor pan oeddwn yn 9 oed. Roedd yna rywbeth am y Swistir oedd yn cyfleu rhyddid a diogelwch. Ond dwi'n credu mai'r prif reswm yw taith sgïo gyda'r ysgol pan oeddwn yn ddeuddeg oed, i bentref bach Grächen yn yr Alpau, ger Brig. Gwirionais ar y wlad – ar y bocsys canu bychain fel *chalets* pren oedd yn seinio wrth agor y to, y gwartheg gyda'u clychau amrywiol, y sgïo drwy'r dydd ac yna'r siocled poeth mewn caffi bychan ar lethrau'r mynydd. Siawns fod pawb yn cofio eu gwyliau cyntaf heb rieni, ac er fod ambell athro yn gofalu amdanom, roedd y berthynas yn wahanol iawn a ninnau yn bell o'r ysgol. Cawsom bythefnos fendigedig, ac yn dilyn y daith hefyd cefais ryddhad llwyr o'r pyliau o *asthma* yr oeddwn wedi bod yn dioddef ers yn blentyn ysgol gynradd. Roedd y doctor yn grediniol mai aer clir yr Alpau oedd yn gyfrifol, ac roeddwn ar dân isio mynd yn ôl yno.

Fe ddaeth y cyfle hwnnw ar ôl i mi gychwyn yn y chweched

dosbarth. Roedd hen ficer wedi dod i ymddeol i Lwyngwril, a chan ei fod yn ŵr gweddw a'i ferched yn byw dramor, roedd Dad a Mam wedi bod yn gofalu amdano. Cefais fenthyg ei gar bob hyn a hyn hefyd pan oeddwn yn dysgu gyrru, ond ddiwrnod cyn y prawf, fe werthodd y car! Chwarae teg, doedd o ddim yn ymwybodol o hynny, ac mi gefais fenthyg gar tebyg gan Garth, un o weision fferm Yr Hendref. Ta waeth, roedd un o ferched y ficer yn briod gyda Phennaeth BASF y Swistir, sef cwmni cemegau rhyngwladol anferth, oedd hefyd yn gwneud tapiau recordio, casetiau ac yn label recordio. Felly, er mwyn diolch i'm rhieni am ofalu am ei thad, cawsom wahoddiad i fynd am wyliau i un o *chalets* y cwmni, o'n dewis ni, yn y Swistir. Doedd dim rhaid i ni wneud dim, na threfnu dim na thalu dim chwaith. Roedd mab yng nghyfraith yr hen ficer, Hans Bruweiler, wedi gofalu am bopeth, gan gynnwys car moethus a gyrrwr oedd ar gael i ni ddydd a nos i fynd â ni i unrhyw le y mynnem. Nid yn unig hynny, pan fyddem yn stopio am bryd o fwyd, byddai'r gyrrwr yn talu am y cwbl.

Roeddwn wedi sôn wrth Hans fy mod yn hoff o gerddoriaeth jazz a thrwy gyd-ddigwyddiad llwyr, roedd hi'n wythnos Gŵyl Jazz Zurich. Gofynnodd Hans a fyddai gennym awydd mynd i noson arbennig yn un o theatrau moethus Zurich. Fe neidion ni ar y cyfle. Yn y theatr, cawsom ein hebrwng i'r ddwy sedd orau yn y tŷ, yng nghanol rhes flaen y balconi. Am noson anhygoel. Dwi ddim yn cofio pwy yn union oedd yn perfformio, ond roedd un triawd piano, bas a drymiau arbennig o'r enw The Monty Alexander Trio ac mi gefais gopi o'u LP oedd ar label BASF gan Hans i fynd adref efo fi. Mi rois yr LP i fenthyg i rywun yn y coleg, ac yn anffodus chefais byth mo honno'n ôl. Rwyf wedi bod yn chwilio am fersiwn CD o'r LP dros y blynyddoedd, ond heb lwyddiant hyd yma.

Bu Hans a Betty Bruweiler yn garedig iawn hefyd o ran lletygarwch pan ymwelodd Ar Log â Zurich yn 1979 i chwarae mewn gŵyl arbennig ar gyfer cenhedloedd ieithoedd lleiafrifol ym Mhrifysgol Zurich. Dyna gasgliad anarferol o artistiaid. Os dwi'n cofio'n iawn, roeddem yn dilyn perfformiad gan grŵp oedd yn cynrychioli'r PLO (Palestine Liberation Oganization). Afraid dweud fod system diogelwch llym iawn o gylch y campws! Pan gyflwynodd Dave Burns y grŵp, fe gyfieithodd un o'n halawon, sef 'Croeso Gwraig y Tŷ' fel 'The Housewife's Welcome'. Chwerthin wnaeth y gynulleidfa, a ninnau'n methu deall pam nes eglurodd rhywun fod yna gyfres o ffilmiau pornograffig o'r Almaen ar deledu'r Swistir o'r enw *The Housewife Welcomes...the plumber, the window cleaner, the milkman...* ac yn y blaen!

Trefnodd Hans gyngerdd i ni yng nghanolfan BASF yn Zurich yn yr 80au, ac yna ein gwahodd i fwyty arbennig iawn. Wedi cyrraedd, daeth gweinydd atom a dweud mai fo fyddai yn gofalu amdanom y noson honno a bod Herr Bruweiler yn ymddiheuro ei fod methu bod efo ni, ond i ni archebu beth bynnag ddymunwn. Daeth y *sommelier* a gofyn pa win a fynnem gyda'r bwyd, gan ddangos yr hyn yfai Herr Bruweiler fel arfer. Yn naturiol roddem yn ddigon hapus i gael yr un peth. Pan ddaeth y gwin fe ofynnodd y *sommelier* i ni flasu'r gwin ond gan nad oeddem yn arbenigwyr o gwbl, dyma awgrymu fod popeth yn siŵr o fod yn iawn, ac iddo dywallt y gwin. Caed ymateb cwbl annisgwyl, rhaid dweud. Roedd yn flin nad oeddem am drio'r gwin yn gyntaf, ac meddai:

'I have just pulled the cork, and so I do not know if the wine is ok o'r not. I'm not asking you to be wine connoisseurs, but I'm sure you can tell me if the wine has turned or not.' Dyna ni wedi cael gwers, a'n rhoi yn ein lle. Doedd o ddim yn flin go iawn, ond roedd ganddo bwynt teg. Dyna'r cwbl roedd o angen ei wybod cyn rhannu'r gwin a dwi'n cofio ei gyngor hyd heddiw. Ond bellach, wrth gwrs, gyda chaeadau troi, digorcyn, dyw'r broblem ddim yn debygol o godi.

Daeth Elis efo ni yn y fan ar daith i'r Swistir hefyd unwaith, ac yntau'n bum mis oed. Prynais *element* bychan i ferwi dŵr er mwyn gwneud llefrith potel, a'i blygio i mewn i'r soced 12v yn y fan wrth gychwyn o Gaerdydd. Doedd o yn dda i ddim oherwydd wnaeth y dŵr ddim berwi tan i ni gyrraedd Frankfurt! Roedd y croeso wrth fynd i mewn i unrhyw fwyty efo babi yn anhygoel, oedd yn gwbl wahanol i'r drefn ym Mhrydain yr adeg hynny. Byddai Elis yn diflannu i'r gegin ym mreichiau'r gweinyddesau ac yn dychwelyd wedi i ni orffen bwyta, yn wên ac yn siocled o glust i glust! Ar y trip hwnnw hefyd, yn Bern, y prynais y teclyn mwyaf defnyddiol erioed sef cyllell boced byddin y Swistir, gydag ugain dyfais wahanol yn ei bol. Mae honno gen i o hyd, 37 o flynyddoedd yn ddiweddarach, ac yn rhan bwysig o'r cit wrth newid tant ar y delyn.

Un haf ac Elis a Mei yn ddeg a naw oed, fe yrrodd Siân a finnau a'r hogia i lawr i'r Eidal. Croesi fin nos i Calais a chael swper, yna gyrru drwy Ffrainc drwy'r nos a chyrraedd y ffin yn Basel yn y Swistir erbyn tua saith y bore wedyn. Yna ymlaen i Interlaken a chael brecwast mewn caffi bach ar ochr y llyn. Mae'r hogia yn dal i gofio'r siocled poeth gawson nhw'r bore hwnnw, fel fi, pan oeddwn tua'r un oed â nhw, yn sgïo yn Grächen.

Gogledd America

CYN BOD SÔN am Ryanair ac Easyjet roedd cwmni Sir Freddie Laker wedi cychwyn gwasanaeth hedfan rhad i Ogledd America ar ddiwedd y 70au. Yr un oedd yr egwyddor, sef dim *frills* a thalu am unrhyw beth oedd yn ychwanegol. Roedd Sylvia Woods, y delynores enwog gyda grŵp Robin Williamson (gynt o The Incredible String Band) sef The Merry Band wedi bod yn aros acw pan oedd hi draw ym Mhrydain ar daith, ac wedi fy ngwahodd i'w chartref yn Los Angeles dros y Nadolig a'r Flwyddyn Newydd. Doeddwn i ddim wedi meddwl llawer am y gwahoddiad nes gweld hysbyseb Skytrain, sef cwmni awyrennau Sir Freddie Laker, oedd bellach yn hedfan i Los Angeles am hanner pris y cwmnïau eraill. Roedd y *flight* yn *no frills* go iawn. Llai o bwysau yn y ces, pob diod a bwyd yn ychwanegol a bron dim lle i gael sythu'r coesau, ond mi oedd o'n rhad! A ninnau ar fin cyrraedd L.A. ar ôl hedfan am 11 awr, daeth neges fod gormod o niwl i lanio a bod rhaid troi yn ôl a glanio yn Las Vegas. Doedd maes awyr Las Vegas ddim wedi arfer derbyn awyrennau rhyngwladol bryd hynny ac oherwydd y niwl yn L.A. roedd yna resiad o awyrennau o'n blaenau ar y tarmac yn disgwyl dadlwytho. Buom yn sefyll ar y tarmac am 6 awr, a bellach roedd popeth i'w yfed a'i fwyta wedi darfod ar yr awyren, a nifer o'r teithwyr yn mynd yn hynod o flin. Yn y diwedd cawsom ddadlwytho, clirio'r tollau, a daeth rhesi o fysiau i fynd â phawb, dros 1000 o bobl, i westy dros nos. Roedd pawb yn andros o flin yn trio cael eu bagiau o'r bysys wrth y gwesty, ac felly dechreuais helpu'r gyrrwr efo'r cesys. Mi glywodd rhywun fi'n siarad yn Gymraeg a medda fo:

'Are you from Wales?'

'Yes' meddwn i,

'From where?'

'O, Mid Wales'

'Where in Mid Wales?'

'Meirionnydd' meddwn i.

'Where in Merioneth?'

'Oh, a small village called Llwyngwril'

'I've just come from there' medda fo!

Erbyn dallt roedd o newydd fod yn angladd ei dad, Jesse Roberts, hen ŵr caredig iawn o'r pentref, a Dad oedd wedi ei gladdu! Roedd o bellach yn byw yn Yorba Linda, rhan o Los Angeles, a daeth gwahoddiad i fynd yno am swper rywbryd yn ystod y gwyliau.

Roedd cael noson annisgwyl yn y Flamingo Hilton yn Las Vegas yn fonws er i mi golli ychydig o bres ar y peiriannau gamblo. Dyma hedfan y bore wedyn i L.A. Chwarae teg, roedd Sylvia a'i gŵr yn disgwyl amdanom a chawsom groeso bendigedig yn eu cartref dros y Nadolig yn Glendale, a wedyn taith i fyny'r arfordir drwy Santa Barbara i San Fransico i aros efo aelod arall o'r band, Chris Caswell a'i deulu. Roedd tad Chris yn gweithio i NASA ac wedi bod yn gweithio ar brosiect y blaned Mawrth, ac mi gefais lyfr ganddo o luniau anhygoel o'r blaned ymhell cyn bod unrhyw beth wedi ei ryddhau yn gyhoeddus. Bellach mae Sylvia Woods yn rhedeg canolfan delynau, sy'n arbenigo ar y delyn Geltaidd, yn Princeville, Hawaii.

Roedd hi'n 1981 cyn daeth cyfle arall i fynd yn ôl i Ogledd America ar gyfer taith gyntaf Ar Log i'r Unol Daleithiau. Roeddem wedi cael gwahoddiad i fynd i ŵyl Geltaidd yn Hunter Mountain, yng ngogledd talaith Efrog Newydd, ym mis Awst. Roeddem hefyd wedi cael gwahoddiad i berfformio ar gwrs preswyl i ddysgwyr Cymraeg ym Mhrifysgol Bucknell yn Lewisburg, Pennsylvania, oedd digwydd bod rhyw ychydig ddiwrnodau cyn yr ŵyl Geltaidd. Roedd hi hefyd yn flwyddyn cyn i S4C gychwyn darlledu a nifer o gwmnïau cynhyrchu newydd yn chwilio am ddeunydd rhaglenni. Un ohonynt oedd Sgrin 82 oedd wedi cael comisiwn i'n ffilmio ar ein taith gyntaf i America. Ar ôl cwpl o ddiwrnodau yn Efrog Newydd yn cael ein ffilmio fel twristiaid mewn tacsis melyn yn croesi pont Brooklyn ac ar ben un o dyrau'r World Trade Centre (sy'n ingol iawn i feddwl erbyn hyn, wrth gwrs), fe logwyd fan gan Maldwyn Pate, gynt o'r grŵp Y Blew, a gyrru i Lewisburg. Roedd y cwrs preswyl yn eitha afreal – rhyw 30 o Americanwyr yn dod i aros i'r brifysgol i geisio dysgu neu wella eu Cymraeg. Nid oedd gan bob un gysylltiad â Chymru, ac nid oeddent yn ddisgynyddion o alltudion cynnar chwaith, ond roedd brwdfrydedd pawb yr un mor egnïol.

Ceisio cyflwyno cerddoriaeth Gymraeg a Chymreig i gynulleidfa hollol newydd oedd ein bwriad yn America, felly ar ôl gwneud cyngerdd ar ddiwedd y cwrs, dyma gychwyn am Hunter Mountain oedd yn daith o tua 250 o filltiroedd. Canolfan sgïo yw Hunter Mountain ym mynyddoedd y Catskills rhyw 150 o filltiroedd i'r gogledd o Efrog Newydd, ond yn yr haf, mae'n ganolfan i wyliau amrywiol, ac o'r 80au hyd ychydig o flynyddoedd yn ôl, yn gartref i'r ŵyl Geltaidd ryfeddol hon. Dwi'n dweud 'rhyfeddol' oherwydd dwi'n siŵr mai Ar Log oedd yr unig berfformwyr oedd yn byw mewn gwlad Geltaidd neu yn Geltiaid genhedlaeth gyntaf. Roedd yr ŵyl yn ymddangos fel esgus braidd i wisgo shamrock neu gilt ac i yfed cymaint o Guinness â phosib mewn wythnos. Roedd yn ymddangos weithiau fel bod gŵyl gwrw Bafaria, yr Oktoberfest, wedi cyrraedd ychydig yn gynnar – roedd yna lawer mwy o stondinau selsig a chwrw Almaenig nag oedd o ddanteithion Cymreig yn bendant.

Wedi dweud hynny, cawsom groeso arbennig iawn gan y gynulleidfa gan fod cerddoriaeth Gymraeg a Chymreig yn hollol ddiarth iddynt. Roedd un cyflwynydd radio yn darlledu yn fyw oddi yno tua tair gwaith y dydd, ond roedd yn mwynhau bob un o'n perfformiadau ni, oedd yn dipyn o gamp gan ein bod yn gorfod perfformio tua 5 gwaith y diwrnod! Dyna pryd brynon ni ein *tuner* electronig cyntaf, a hynny oherwydd fod bandiau *bagpipes* yn perfformio o'n blaen bob tro ac roedd hi'n amhosib trio tiwnio'r telynau efo'r glust! Ar ôl un perfformiad daeth hen wreigan o'r enw Gwen atom, mewn gwisg Gymreig, ac ar ôl sgwrsio dyma ddarganfod mai merch J. Glyn Davies oedd hi. Roedd J. Glyn Davies yn enwog am ei gasgliadau o ganeuon môr ac roeddem yn canu rhai ohonynt yn ein set, megis 'Yn Harbwr Corc' a 'Llongau Caernarfon'. Un arall o ganeuon ei thad oedd yr hwiangerdd 'Gwen a Mair ac Elin, Yn bwyta lot o bwdin...' ac erbyn dallt, yr hen wreigan oedd Gwen yn y gân. Roeddem yn eitha sicr felly y byddai wrth ei bodd efo'r set nesa gan ein bod yn canu un o ganeuon arall ei thad, sef 'Santiana', ond na, ffrae gawsom ni ganddi am ganu'r gân yn rhy gyflym! Gan fod y criw ffilmio yn dal yn ein dilyn ni, mae'r cwbl wedi ei gofnodi yn y ffilm gafodd ei ddarlledu ar S4C yn 1982. Dwi ddim y siŵr os mai peth da oedd hynny gan mai un o'r digwyddiadau sydd fwya amlwg yn y cof yw Graham yn cael tatŵ ar ei ben-ôl!

Cawsom wahoddiad i fynd yn ôl i'r ŵyl y flwyddyn ganlynol, yn Awst 1982. Erbyn hynny roedd Graham wedi gadael y grŵp ac roedd Stephen Rees wedi ymuno ar y ffidil a'r acordion. Y tro hwn, roeddem wedi llwyddo i gael asiant yng Ngogledd America er mwyn ceisio cael mwy o gyngherddau gan fod hedfan draw gyda'r offerynnau i gyd yn eitha drud. Sharon Davis o West Virginia oedd yr asiant, a hi oedd asiant i'r Battlefield Band ac Eric Bogle hefyd, a gyfansoddodd y caneuon gwrthryfel enwog 'And the Band Played Waltzing Matilda' a 'The Green Fields of France' neu 'William McBride'. Roedd Sharon yn adnabod y sin werin yn dda, ac fe awgrymodd i ni gadw'n glir o'r gwyliau '*pseudo*-Celtaidd' fel Hunter Mountain ac yn hytrach i ganolbwyntio ar y clybiau gwerin a'r gwyliau 'go iawn' megis Philadelphia, Winnipeg a Vancouver. Ar gyfer ein hail ymweliad ag America felly roedd hi wedi llwyddo i'n cael i'r ddwy ŵyl fwyaf yng Nghanada, sef Winnipeg a Vancouver ym mis Gorffennaf. Dyma'r gwyliau yr oeddwn

Gwyndaf a mi (ar y dde) tua dwyflwydd oed

Yn Ysgol Gynradd Llwyngwril - tua 6 oed

Priodas Dad a Mam yn Eglwys Sant
Pedr, Llanbedr-y-cennin, Conwy

Nôl y delyn deires gan Margaret Taylor yn Nhreorci

Mary Ellen (Nain) a Nansi Richards

Yncl Dei, Llwyncwpl (brawd Nain) gyda'i delyn deires

Nansi Richards yn y Rheithordy gyda hen delyn deires Llanofer

Gyda'r delyn deires a'r hen delyn *Grecian* (tua 9 oed)

Gwyndaf a mi gyda'r delyn deires ger Hen Eglwys Llangelynnin tua 1969

Yr Atgyfodiad yn 1973.
O'r chwith i'r dde: y diweddar
Keith Snelgrove, Arfon Wyn,
y fi, Gwyndaf

Brân yn ennill Cân i Gymru
yn 1975.
O'r chwith i'r dde: John Gwyn,
Nest Howells, fi, Gwyndaf

Brân yn ennill yn y Pan Geltaidd yn
Killarney yn 1975

Cast y sioe *Harping Around* yn Theatr Gwynedd yn 1975. O'r chwith i'r dde: Gwyndaf, Rene Griffith, Ann Llwyd, Meredydd Morris, John Gwyn, Jeff, Aled Glynne, Dyfan Roberts, Geriant Glynne, y diweddar Elfed Lewis, Aled Samuel, Sioned Williams, Nest Howells, fi

(Geoff Charles)

Brân yn y sioe *Harping Around*

(Geoff Charles)

Dawns y glocsen yn y sioe *Harping Around*

(Geoff Charles)

Un o luniau cyntaf Ar Log. O'r chwith i'r dde: fi, Dave Burns, Gwyndaf, Iolo Jones

(Al Campbell Photography, Caerdydd)

Y 'lein-yp' newydd yn 1980

(Al Campbell Photography, Caerdydd)

Yr hen Sherpa wedi chwythu ei phlwc yn yr Almaen

Tu allan i Saltzburg, Awstria

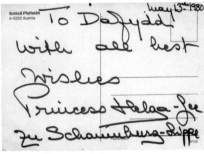

Cerdyn gan y Dywysoges Helga Lee

Pen-blwydd
Nansi yn 90
ym Mhlas
Trelydan
– cartref Iona
Trevor Jones

Efo Stephen
Rees yn nhŷ
ffrindiau yn
yr Almaen

Ar daith yn yr Almaen

Ar daith yn yr Almaen

TAITH 700

Ar Log

Dafydd Iwan

CHWEFROR 1982
5 — LLANGENNECH (CLWB RYGBI) — Llangennech 820809
8 — CAERGWRLE (CLWB JOLLYS) — Caergwrle 760388
9 — CAERNARFON (THEATR SEBO) — Caernarfon 3968
11 — BOTWNNOG (YSGOL UWCHRADD)
12 — LLANELWY (TALARDY) — Llanelwy 583612
13 — PORTHMADOG (Y CANOLFAN) — Porthmadog 3372
14 — BANGOR (THEATR GWYNEDD) — Bangor 51757
16 — Y BALA (NEUADD BUDDUG) — Bala 423111
17 — LLANEGRYN (NEUADD Y PENTREF) — Llanegryn 710529
18 — ABERYSTWYTH (NEUADD Y BRENIN) — Aberystwyth 3744
19 — GLANTWYMYN — Cemaes Rd. 212
20 — CEFN COCH — 093884 411
21 — LLANFAIR-YM-MUALLT (WYESIDE ARTS CENTRE) — Builth 552555
23 — CAERFYRDDIN (NEUADD SANT PEDR) — Caerfyrddin 7555
24 — BLAENDYFFRYN — Aberystwyth 4501

MAWRTH 1982
3 — FELIN FACH (Y THEATR) — Aeron 470697
21 — CAERDYDD (THEATR SHERMAN) — Caerdydd 396044
22 — LLANYBYDDER (Y NEUADD) — Llanybydder 480768

AR LOG YN UNIG
CHWEFROR 27 — BLACKWOOD (CLWB GWERIN)
28 — CRYMYCH (YSGOL UWCHRADD) — Boncath 483
27 — TY DDEWI (WARPOOL COURT HOTEL)
MAWRTH 4 — LLANDUDNO (EX-SERVICE CLUB) — 0535/2269
5 — RHUTHIN (CLWYD GATE - CLWB GWERIN)
6 — NEWBRIDGE (CLWB RYGBI)
12 — LLANTRISANT
13 — CASTELL NEDD

Pob noson i ddechrau am 8 o'r gloch oni hysbysir yn wahanol yn lleol.
Manylion pellach oddi wrth Glenda Wyn, Caerdydd 499076+26915

TAITH MACSEN 1983

Y ddwy daith gyda Dafydd Iwan

AR LOG   DAFYDD IWAN

CHWEFROR
11 - Felin Fach, Y Theatr (Aeron 470697)
12 - Blaen Dyffryn (Dafydd Tomos, Rhydlewis 023975 552)
18 - Aberdaugleddau, Theatr y Torch (06462 4197)
19 - Llwyngwair, Trefdraeth (Lowri Davies, Croes y Ffynnon 02 9779 619)
25 - Llanelwy, Clwb Gwerin y Dalar (Tegwyn Williams, Llanelwy 0745 583612)
26 - Rhiw Goch, Bronaber (Trawsfynydd 076687 374)
27 - Harlech, Theatr Ardudwy (Harlech 0766 780667)

MAWRTH
11 - Caerfyrddin, Neuadd St. Pedr (Huw Evans, Caerfyrddin 0267 7515)

12 - Cefn Coch, Llanfaircaereinion (Arfon Gwilym, Meifod 093884 411)
13 - Llandudno, Yr Arcadia (Vivian Williams, Bangor 0248 51327)
18 - Aberhonddu, Neuadd y Cwfaint (Bob Roberts, Aberhonddu 0874 3653)
19 - Botwnnog, Ysgol Uwchradd
20 - Bangor, Theatr Gwynedd (Bangor 0248 51707)
25 - Aberystwyth, Y Neuadd Fawr, Canolfan y Celfyddydau (0970 4277)
26 - Abertawe, Gwesty'r Dolphin (Heini Gruffudd, Abertawe 0792 71777)
27 - Caerdydd, Theatr y Sherman (0222 396844)

Pob noson i ddechrau am 8.00 ond am LLANDUDNO, YR ARCADIA am 7.30
Prisiau i gyd yn £2.50 a £1.50 i blant a phensiynwyr
Manylion pellach oddi wrth Glenda Wyn, Caerdydd 0222 26915

Rhaglen deledu S4C *Cerddwn Ymlaen* yn 1982

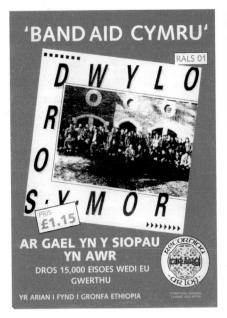

Hysbyseb ar gyfer *Dwylo Dros y Môr* yn 1985

Taith Ar Log *Ar ôl Deg* yn 1986

Yn teithio i Socoroma, ar gyrion anialwch yr Atacama yng ngogledd Chile

Picnic yn yr Andes yn Periw. O'r chwith i'r dde: Iolo, Victor, Paul, Carmen, perchennog y gwesty a fi

Y gwneuthurwr telynau yn dangos sut i orymdeithio a chanu'r delyn ar yr un pryd yn Periw

Criw o blant o bentref Checacupe yn yr Andes

(Paul Thomas)

Y ddau frawd Tommy ac Edward o Hyde Park, y Gaiman

Ar Log yn Stiwdio Sain yn 1983
(Gwenan - Dolgellau)

Ar Log *Taith y Saith* yn 2018. O'r chwith i'r dde: fi, Iolo, Geraint Cynan, Geraint Glynne, Graham, Dave, Gwyndaf
(Celf Calon)

Dad a Mam ar ôl ymddeol i Lanfairpwll

Siân a fi yn Singapore

Priodas Siân a fi yn 1991
(Malcolm Griffiths)

Elis, Elain, Math, Heledd a Mei yn 1999

Heledd, Elain a Math
(Benllech Photography Studio)

Tîm pêl-droed genod Llewod
Llanrug dan 13

Math yn ennill Gwobr Goffa
John Weston Thomas ar y
delyn deires yn yr Eisteddfod
Genedlaethol
(Lluniau Llwyfan)

Elain yn chwarae ei hoff gêm

Siân a fi yn Sbaen yn 2017

Math ym Mhrifysgol Lincoln, Rhydychen

Heledd ac Elain

Ceri, Seth, Aron ac Elis

Yr wyrion - Seth Elis ac Aron Huw

Meirion a Rhian efo'r genod, Nesta ac Esyllt

Yr wyresau – Nesta Meirion ac Esyllt Dafydd

wedi bod yn eu llygadau ers diwedd y 70au, sef gwyliau *Folk,
Jazz & Blues* rhyngwladol gyda thros 200 o artistiaid o bob
rhan o'r byd. Roedd perfformio yn y gwyliau hyn yn brofiad
anhygoel. Roedd naw llwyfan o amgylch y safle yn ogystal â'r
prif lwyfan, gyda cherbydau golff i fynd a rhywun o un lle i'r
llall. Gefn llwyfan, roedd popeth ar gael, gan gynnwys pabell
trwsio offerynnau a phabell i gael tylino'r corff. Roedd hi'n wir
anrhydedd cael rhannu llwyfan a gweithdai gyda rhai o brif
artistiaid cerddoriaeth byd, neu *World Music.*

Roeddem wedi glanio yn Winnipeg rhai diwrnodau cyn yr
ŵyl, ac felly trefnwyd i ni aros gyda theulu Cymraeg a daeth
Bruce ac Olva Odlum i'n cyfarfod yn y maes awyr. Un o Sir
Benfro yn wreiddiol oedd Bruce, ac Olva o Dre-gŵyr ger
Abertawe. Cawsom groeso bendigedig ganddynt a'u cyfeillion,
rhai ohonynt hwythau yn Gymry alltud. Daeth Bruce ac Olva
yn ffrindiau agos i mi dros y blynyddoedd, a daeth y ffaith
fod Dr Olva Odlum yn Bennaeth yr Adran Ddeintyddiaeth ym
Mhrifysgol Manitoba, ac yn rhugl ei Chymraeg, yn bwysig
iawn yn ddiweddarach yn y 90au, pan oeddwn yn gweithio i
gwmni Hel Straeon.

Roedd Gŵyl Winnipeg yn cydweithio'n agos gyda Gŵyl
Vancouver oedd yn cael ei chynnal y penwythnos canlynol,
ac felly, roedd nifer o'r artistiaid rhyngwladol yn mynd o
un ŵyl yn syth i'r llall, a ninnau yn eu plith. Ar yr awyren i
Winnipeg roedd un o'r stiwardesau wedi'n holi am ein trip,
ac ar ôl egluro ein bod yn chwarae yng ngwyliau Winnipeg a
Vancouver dyma hi'n dweud y byddai'n ein tywys o gwmpas
Vancouver rhyw noson cyn yr ŵyl, gan mai hwn oedd ein
hymweliad cyntaf â'r ddinas. Pan gyrhaeddon ni Vancouver
felly, ar ôl gŵyl Winnipeg, drwy gyd-ddigwyddiad, roedd un
o theatrau'r ddinas yn perfformio *Under Milk Wood.* Roedd
y cwmni theatr wedi sylwi ein bod yn perfformio yn yr ŵyl
fawr, a'n bod yn dod o Gymru, felly daeth cais i ni chwarae
ychydig o gerddoriaeth Gymreig ar y llwyfan ar ddechrau'r
noson agoriadol. Digwydd bod, dyma'r noson hefyd yr oedd
y stiwardes am ein tywys o amgylch y ddinas, felly dyma ni'n

ei gwahodd hi i ddod efo ni i'r theatr ar ddechrau'r noson. Fe ddaeth gyda ffrind iddi o'r enw Mad Carol oedd wedi cael ei gwahardd rhag hedfan oherwydd rhyw reswm neu'i gilydd! Ar ôl gadael y theatr a chael ein tywys o amgylch y ddinas am weddill y noson, roedd rhywun yn dechrau dallt sut gafodd y cyfaill ei llysenw! Aethom o far i far ar wibdaith, nes setlo yn un ble'r oedd band byw yn chwarae cerddoriaeth R&B. Roedd y ffliwt dal gen i ac ar ôl cân neu ddwy, fe welodd y band y ffliwt, a'm gwahodd i'r llwyfan. Dwi'n meddwl fy mod wedi chwarae 'Mustang Sally' a chwpl o ganeuon eraill efo nhw, ond mae gweddill y noson yn eitha niwlog.

Unwaith eto roedd hi'n anrhydedd cael perfformio yn yr ŵyl enfawr hon yn Jericho Beach Park. Roedd y prif lwyfan yn anferth, ac yn wynebu'r Cefnfor Tawel, ac wrth i'r haul fachlud roedd fel *spotlight* enfawr ar y llwyfan. Roedd hwnnw'n un perfformiad wna i fyth anghofio – torf enfawr a ninnau ymlaen ar ôl Rita McNeil, cyfansoddwr y gân enwog 'Working Man'. Ar ddiwedd yr ŵyl, roeddem yn disgwyl yn y maes awyr am yr awyren yn ôl i Lundain pan ddaeth galwad ar yr uchelseinydd: 'Will messers Roberts, Davies, Rees and Roberts please report to the staff at the gate?' Dyma gesio dyfalu'n syth beth oedd y broblem – yr offerynnau neu'r delyn yn rhy fawr mae'n siŵr. Ond na, roedd Mad Carol o'r noson cyn y penwythnos wedi newid ein tocynnau i *Club Class* ar gyfer y daith hir yn ôl! Chwarae teg iddi – ddim mor *mad* wedi'r cwbl.

Gan ein bod o dan gytundeb, roedd rhaid i ni barhau gyda'n hail ymweliad â Hunter Mountain, ym mis Awst, er roedd Sharon Davis, yr asiant, wedi llwyddo i drefnu nifer o gyngherddau i ni mewn clybiau gwerin hefyd, gŵyl yn Owen Sound yn Ontario a slot mewn gŵyl anferth yn Philadelphia yn cefnogi Don McLean. Ar ôl y *soundcheck* yn Philadelphia daeth Cymro o'r enw Griff atom i gefn y llwyfan. Roedd o wedi cychwyn cwmni yn creu *pickups* i offerynnau acwstig ac roedd am i ni eu trio ar y telynau. Fe gytunon ni i drio un ar y gitâr i ddechrau, ond y camgymeriad wnaethom ni oedd ei roi ymlaen ar ôl y *soundcheck*. Roedd *pickup* Griff yn llawer mwy sensitif nag un arferol Geraint a phan chwaraeodd Geraint y cord cyntaf ar y gitâr yn ystod y set, bu bron i ni chwythu ein hunain oddi ar y llwyfan a rhoi trawiad i'r dyn sain! Fe aeth gweddill y set yn iawn, fodd bynnag, ac fe wnaeth Don McLean gydnabod ein perfformiad, ac fe wylion ni yntau wedyn yn hudo'r gynulleidfa gyda'i ganeuon enwog fel 'Vincent' ac 'American Pie'. Ar noson rydd wedyn yn Efrog Newydd roedd Geraint ar dân isio mynd i dafarn enwog Dylan Thomas sef The White Horse Tavern yn Greenwich Village. Ar ôl crwydro'r tafarndai fe lwyddon ni i ddod o hyd i'r dafarn yn y diwedd, a phan ddaeth y ferch oedd yn gweini at y bwrdd, dyma Geraint yn ei acen orau yn cychwyn, 'To begin at the beginning...' a dyma'r ferch yn ymateb yn flin i gyd,

'I'm sick up to here of Dylan Thomas – do ya want a beer or not!'

Erbyn 1984 roeddem wedi cael gwahoddiad i ymddangos eto yng ngwyliau Winnipeg a Vancouver, ond y tro hyn roedd Cymdeithas Gymraeg Toronto hefyd wedi ein gwahodd i ŵyl arbennig yno am 10 diwrnod rhyw bythefnos cyn gwyliau Winnipeg a Vancouver. Roedd Ontario yn dathlu 200 mlwyddiant, a Toronto yn dathlu'r 150, ac fel rhan o'r dathliadau roedd y Toronto International Caravan Festival yn fwy nag erioed. Gŵyl oedd hon gyda sawl pafiliwn ar gyfer gwahanol wledydd o gwmpas y ddinas. Wrth brynu *passport* arbennig, roedd yr ymwelwyr yn gallu teithio o un pafiliwn i'r llall a blasu ychydig o ddiwylliant a danteithion y wlad honno am ryw dri chwarter awr cyn symud ymlaen i bafiliwn arall. Roedd amserlen perfformiadau pob pafiliwn ar gael ar y *passport* ac felly byddai cynulleidfa newydd yn cyrraedd pob pafiliwn bob rhyw awr, neu wrth gwrs byddai croeso iddynt aros mewn un pafiliwn drwy'r dydd os oeddynt yn mwynhau. Ein swydd ni am yr wythnos oedd perfformio am hanner awr tua phum gwaith y dydd yn y Pafiliwn Cymreig. Dwi'n credu ein bod yn adnabod ein set yn eitha da erbyn diwedd yr wythnos! Roedd yn gyfle gwych hefyd i ddysgu a threialu caneuon newydd cyn mynd ymlaen i'r gwyliau mawr yn

Winnipeg a Vancouver, ac er fod gwneud dawns y glocsen tua 30 weithiau mewn wythnos yn cadw rhywun yn ffit, dwi'n siŵr mai'r cyfnod hwn sy'n gyfrifol am stad fy mhen-gliniau heddiw! Cyn mynd ymlaen i Winnipeg a Vancouver roedd gennym gyngerdd i lawr yn Boston, dros y ffin yn yr Unol Daleithiau, a noson rydd yn Toronto cyn cychwyn ar y daith. Pethau peryg iawn yw nosweithiau rhydd! Cawsom wahoddiad gan gwpl o dras Gymreig i'w cartref ar gyfer *poolparty* ond dydi bod yng nghwmni Margaritas a phwll nofio drwy'r dydd ddim yn beth doeth. Wrth redeg o amgylch y pwll, fe anghofiais am eiliad pa ochr i'r pwll oeddwn i – dyfn ynta' bas, a phlymio i mewn. Dwi'n cofio taro fy mhen ar y gwaelod, a chodi'n ara deg o'r dŵr a theimlo'r gwaed yn dod i lawr fy nhalcen. Des at fy hun ond y bore wedyn allwn i ddim symud fy mhen. Aeth y cwpl â fi i'r ysbyty cyfagos, a phenderfynon nhw fy nghadw mewn drwy'r dydd gan fy mod wedi llewygu a chwdu. Erbyn diwedd pnawn roedd rhaid i ni gychwyn am Boston, felly (ar ôl talu!) rhoddodd yr ysbyty goler i mi a'm rhybuddio i beidio rhoi straen ar fy ngwddw, ac yn bendant i beidio â gwneud dawns y glocsen! Erbyn cyrraedd yn ôl i Toronto er mwyn hedfan i Winnipeg, roedd y gwddw wedi gwella'n weddol, a digwydd bod, un o'r gwasanaethau i artistiaid cefn llwyfan yn yr Ŵyl yn Winipeg oedd *masseuse* a *chiropractor* – delfrydol!

***

Roedd hi'n 1992 cyn daeth cyfle arall i ymweld â Chanada. Roeddwn yn gweithio i Hel Straeon ar y pryd fel cyfarwyddwr ar y rhaglen fyw o'r stiwdio yn bennaf, ond roedd cyfle pob hyn a hyn i gynnig syniadau ar gyfer eitemau dogfen i lenwi hanner rhaglen, neu raglen gyfan os oedd y syniad yn ddigon cryf. Dyma gofio am Dr Olva Odlum o Winnipeg a'r gwaith oedd hi'n ei wneud gyda'r Inuits yng ngogledd y wlad. Deintydd oedd Olva, a hi bellach oedd Pennaeth yr Adran Ddeintyddiaeth ym Mhrifysgol Manitoba. Nôl yn y 60au a'r 70au, oherwydd lleihad yn niferoedd y caribou, sef prif fwyd yr Inuits, fe'i hail-leolwyd i bentrefi bach newydd *pre-fab* pwrpasol gan Lywodraeth Canada. Y broblem, fodd bynnag, oedd mai llwyth crwydrol yw'r Inuits, yn dilyn y caribou, a heb arfer byw mewn tai gyda gwres canolog ac offer coginio. Ystyr *Esgimo* yw bwytawr cig amrwd – mae'n derm sarhaus erbyn hyn, ond cig morlo a chig caribou amrwd oedd eu prif fwyd. Doeddent ddim wedi arfer coginio bwyd, ac roedd y broses o gnoi'r cig a'i grafu oddi ar yr asgwrn yn ffordd naturiol o gadw'r dannedd yn iach. Erbyn hyn, mewn pentrefi bach gyda siopau yn llawn o fwyd wedi ei brosesu, a dim traddodiad o goginio, y tueddiad oedd bwyta cacennau a bwyd llawn siwgr. Roedd yr Inuits hefyd yn eitha anoddefgar o *lactose* – nid llefrith oedd y mamau yn rhoi yn y poteli i'w plant ond diodydd fel Coca Cola. Felly roedd Llywodraeth Canada erbyn hyn wedi sylweddoli mai camgymeriad anferth oedd trio sefydlogi'r llwythi crwydrol mewn pentrefi pwrpasol, ac roedd cryn amheuaeth hefyd pa mor brin oedd y caribou mewn gwirionedd. Gofynnwyd i Brifysgol Manitoba gychwyn cynllun i addysgu'r Inuits am iechyd deintyddol, a hefyd i gynnal clinigau deintyddol rheolaidd i drin dannedd yr unigolion oedd bellach mewn cyflwr gwael iawn.

Syniad y rhaglen ddogfen oedd dilyn Olva ar un o'r teithiau clinigol i daleithiau Northwest Territories a Keewatin, tua 1,000 o filltiroedd i'r gogledd o Winnipeg, ar gyrion cylch yr Arctig. Dwi ddim yn siŵr os mai mis Ionawr oedd yr adeg gorau i ffilmio'r rhaglen, ond dyna oedd y cyfle gorau ar y pryd. Mi gychwynnais i ychydig o ddyddiau cyn y cyflwynydd, Gwyn Llewelyn, er mwyn trefnu'r ffilmio a'r amserlen efo Olva. Roedd rhaid hedfan i Toronto yn gyntaf cyn newid awyren i Winnipeg, ond ar y ffordd daeth neges fod Toronto wedi cau oherwydd storm eira a rhaid oedd glanio ym Montreal. Roedd y fan honno'n ddigon drwg hefyd, ac ar ôl dadmer yr adenydd gyda rhyw *spray*, ymlaen â ni i Toronto, ond ar ôl glanio clywed fod y maes awyr wedi cau a dim posib mynd ymhellach. Y pnawn canlynol daeth cyfle i gael awyren arall i Winnipeg a dyma'r peilot yn cyhoeddi fod y tymheredd yn Winnipeg yn -25°C. Roeddwn wedi llogi car am y cyfnod ond roedd rhaid i Olva ddangos i mi'r arferiad o blygio'r car i mewn i'r soced trydan bob tro wrth barcio i'w gadw'n gynnes, boed yn y dre, gwesty neu gartref, fel arall byddai'r injan wedi rhewi'n gorn. Oherwydd yr oerni hefyd, roedd hi'n bosib cerdded o un ganolfan siopau i'r llall yng nghanol y dref unai o dan y ddaear, neu ar hyd llwybrau dan do, cynnes, uwchben y strydoedd. Roeddwn wedi rhyfeddu at hyn, a pha mor gall oedd yr holl system – doedd yr eira na'r oerfel yn amharu dim ar fywyd pob dydd y trigolion. Ar ôl trefnu popeth gydag Olva mi es i nôl Gwyn Llewelyn a Bethan Jones y cynorthwy-ydd o'r maes awyr, ac er bod y tri ohonom wedi dod â'r dilladau gorau posib ym Mhrydain efo ni ar gyfer yr oerfel, doeddynt yn dda i ddim yng Nghanada ym mis Ionawr. Wrth ffilmio'r cyflwyniad i gamera yn sefyll ar y rhew trwchus yng nghanol yr afonydd yn The Forks, lle'r oedd yr Afon Assiniboine yn cyfarfod yr Afon Goch yng nghanol Winnipeg, roedd hi'n amlwg fod rhaid cael dillad gwell. Dyma fynd i warws yr Hudson Bay Company i ffeindio rhywbeth callach. Cawson gotiau digon cyffredin yr olwg, ond wedi eu hinsiwleiddio gyda manblu *down* a sgidiau fel mae byddin Canada yn eu defnyddio, sef *Sorels*, gyda label yn eu gwarantu hyd at dymheredd o -60°C! Pwrpas yr *hood* gyda'r ffwr o'i gwmpas yw creu awyr gynnes o flaen yr wyneb – y *snorkel effect* – ac roedd hi'n bwysig fod hwnnw'n dod allan rhai modfeddi o flaen y trwyn, neu mi fyddai llosgeira yn gafael yn y trwyn mewn ychydig o funudau. Roedd gen i fwstás ar y pryd, ac roedd hwnnw wedi rhewi'n wyn mewn dau funud o sefyll ar yr afonydd!

Ar ôl ffilmio gydag Olva yn y Brifysgol ac o gwmpas Winnipeg daeth hi'n amser i fentro i'r gogledd. Hedfan i Churchill oedd y cam cyntaf, sef tre' yng ngogledd talaith Manitoba ar arfordir Bae Hudson. Wrth nesáu at Churchill roedd yn hawdd gweld fod y coed yn mynd yn brinnach, ac yna yn sydyn iawn, wrth gyrraedd Churchill doedd dim coed o gwbl. Mae'r olygfa o'r awyr yn syfrdanol – gellir gweld llinell hollol syth ble mae tyfiant yn peidio i'r gogledd o'r llinell, ac oherwydd hyn, arfbais tref Churchill yw coeden gyda changhennau a dail ar un ochr o'r goeden yn unig. Y newyddion yn Churchill oedd bod stormydd eira yn y ddau bentref lle cynhelid y clinigau deintyddol sef Arviat (a elwyd yn Eskimo Point gynt) a Rankin Inlet, oedd hyd yn oed yn bellach i'r gogledd. Daeth awyren yn y diwedd, sef Hawker Sidley bychan, eitha hen yr olwg, ac wrth i'r peilot gerdded drwy'r awyren i'r *cockpit* dywedodd fod y tywydd yn dal yn ddrwg yn Arviat ond byddai'n trio glanio, neu os ddim byddem yn mynd ymlaen i Rankin Inlet, yna Baker Lake, yna Coral Harbour a thrio Arviat eto ar y ffordd yn ôl. Dyma un o'r teithwyr yn gweiddi,

'What about Chesterfield Inlet?'

'Oh – that's ok', meddai'r peilot, fel tasa ni ar fws Purple Motors ers talwm yn holi am stopio yn Rachub. Mi laniodd yr awyren yn Arviat, ond Duw a ŵyr sut. Doedd dim llain glanio, dim ond rhew. Rhywle fel *Ice Station Zebra* oedd y pentref gyda chytiau pren, a Gwyn a mi yn rhannu ystafell yn Ralphs B&B – hwn oedd yr unig B&B yn y pentref. Yma byddai pawb yn aros, ac efo ni'r noson honno roedd gwyddonydd, barnwr ar gylchdaith o'r pentrefi, rhywun o'r llywodraeth, Lars, y gŵr camera a ni. Ralph oedd yn gwneud swper i bawb – cawl cig morlo – doedd dim dewis arall. Ar ôl bwyd aeth Gwyn a mi am dro drwy'r eira trwchus, yn ein *Sorels* newydd, at yr hyn oeddem yn credu oedd diwedd y tir a dechrau'r môr ym Mae Hudson. Roeddem am gael dweud ein bod wedi cerdded ar y môr, ac wrth gerdded ymhellach roedd y sŵn dan draed yn newid o'r crensian eira i ryw ruddfan dwfn. Yna daeth andros o glec oddi tanom ni. Mi rewom ni yn yr unfan gan feddwl ein bod wedi mynd rhy bell ac am ddisgyn drwy'r rhew i Fae Hudson. Dyma redeg nerth ein *Sorels* yn ôl am y tir, gan ddeffro holl *huskies* yr ardal. Roedd rhaid cadw'n glir o'r cŵn, oedd wedi eu clymu diolch byth, gan fod pawb wedi ein rhybuddio eu bod yn beryg iawn os nad oeddent dan reolaeth y sled. Cytunodd Gwyn a mi i beidio sôn wrth Olva ein bod wedi bod allan ar rew'r môr rhag ofn i ni gael ffrae, ond ar ôl gadael y gath allan o'r cwd heb feddwl, dyma hi'n chwerthin nerth ei phen – roedd y rhew ar y môr yn o leiaf 15 troedfedd o drwch a byddai'n aros felly am fisoedd lawer!

Pan oedd Olva a'i thîm yn cyrraedd y pentrefi hyn, yr arferiad oedd bod yr orsaf radio lleol yn darlledu neges yn yr iaith frodorol, sef Inuktitut, oedd yn dweud bod y deintydd wedi cyrraedd ac yna byddai'r trigolion yn dod gyda'u problemau. Roedd y rhan fwyaf, yn anffodus, yn cael tynnu eu dannedd i gyd gan fod eu cyflwr mor wael. Yn yr ail bentref sef Rankin Inlet, fodd bynnag, roedd gan Olva un cwsmer arbennig iawn. Yn draddodiadol gyda theuluoedd yr Inuits, un o ddyletswyddau'r Nain oedd cnoi croen morlo er mwyn ei feddalu i wneud esgidiau i'r plant. Roedd yr hen wraig yma wedi colli ei dannedd i gyd ac felly roedd Olva wedi trefnu cael set o ddannedd gosod iddi hi, a dyma oedd y diwrnod i weld os oeddynt yn ffitio. Erbyn hyn roedd y tymheredd wedi gostwng i -39°C a'r *Keewatin*, sef gwynt miniog y gogledd, wedi codi, a'r *chill-factor* yn gyrru'r tymheredd i lawr i -69°C . Doedd hi ddim yn bosib ffilmio am fwy nag ugain munud tu allan, gan fod yr olew yn y *tripod* a mecanwaith y camera yn rhewi, ac yna roedd rhaid dadmer y cwbl gyda sychwr gwallt y tu mewn. Ar ôl cyrraedd tŷ'r hen wreigan ar gefn y *skidoos*, dyma osod y dannedd, a'r peth cyntaf wnaeth hi oedd estyn darn o groen morlo a'i gnoi, er mwyn profi'r dannedd. Daeth gwên fawr ar ei hwyneb, ac i ddiolch i Olva dyma'r hen wreigan a'i merched yn canu cân draddodiadol mewn Inuktitut i ni yn nhraddodiad y canu gyddfol oedd yn gwbl fythgofiadwy – ac mae ar gof a chadw ar un o ddogfennau *Hel Straeon* gobeithio!

Cefais gwpl o gyfleoedd eraill i ffilmio yng Ngogledd America. Roedd un yn ddiweddarach yn yr un flwyddyn ychydig cyn y Nadolig, ym Montreal, gyda Beti George, yn olrhain hanes y Maestro a'r arweinydd corawl enwog Iwan Edwards. Roedd Iwan yn arwain sawl côr ym Montreal ac yn darlithio a dysgu sut i arwain ym Mhrifysgol McGill. Roedd un côr hefyd yn Ottawa ac un arall yn Quebec, felly unwaith eto roedd rhaid dygymod â theithio yn yr eira. Roedd gan Iwan ffordd arbennig o ddysgu gyda'r myfyrwyr ble byddai'n rhaid i'r arweinwyr ifanc ddarllen y sgôr ac arwain y gerddoriaeth o flaen Iwan ond heb fod unrhyw gerddoriaeth i'w glywed. Roedd y cwbl yn digwydd mewn distawrwydd ac Iwan yn dilyn ei sgôr wrth wylio breichiau ac ystumiau'r myfyriwr. Y prif reswm dros y ddogfen oedd y ffaith fod Iwan wedi cael gwahoddiad i arwain Côr a Cherddorfa Symffoni Montreal mewn perfformiad o'r Meseia yn y Notre Dame Basilica i ddathlu 300 mlwyddiant Montreal. Roedd ffilmio'r achlysur hwn wir yn anrhydedd, ond er mai dim ond dau gamera oedd gen i ar gyfer ffilmio'r perfformiad, gyda lwc, roedd dau berfformiad, un ar nos Sadwrn a'r llall ar nos Sul. Roeddwn yn awyddus iawn i gael *shots* o Iwan fel arweinydd o bersbectif y gerddorfa, felly ar gyfer yr ail noson, aeth Huw Davies, y gŵr camera, a fi i logi siwt a dici bo oedd union yr un fath â dillad y gerddorfa. Ar ôl trafod gyda threfnydd y gerddorfa fe'n gwasgwyd ni i mewn efo camera rhwng rhai o ddesgiau cefn y feiolinau, a phan ddaeth Iwan i'r podiwm a chychwyn arwain yr *Overture* ar yr ail noson, fe darodd olwg draw atom, codi ei eiliau, ac yna daeth gwên fach – diolch byth!

Yng nghmwni Beti George es i Efrog Newydd hefyd wrth i ni ddilyn y soprano, Eldrydd Cynan, ar ôl iddi gystadlu yng nghystadleuaeth Cardiff Singer of the World yn 1995. Roedd Eldrydd ar daith yn yr Unol Daleithiau efo Côr Meibion Pendyrus dan arweiniad yr unigryw Glyn Jones. Roedd Beti a mi yn Efrog Newydd ar gyfer diwedd y daith a pherfformiadau yn adeilad y Cenhedloedd Unedig, a'r Eglwys Bresbyteraidd ar Fifth Avenue – achlysur mawreddog, ac roedd y lle yn orlawn. Doedd ddim dwywaith fod y gynulleidfa wrth ei bodd gyda'r côr hollol ddisgybledig, cymeriad lliwgar Glyn Jones a pherffformiad pwerus Eldrydd. Cyn i Beti a mi adael Heathrow, fodd bynnag roedd peth dryswch wedi bod yn y giât. Gofynnodd y ferch wrth y ddesg am wirfoddolwyr i fynd ar awyren hwyrach i New Jersey yn lle JFK, gan fod gormod ar yr awyren. Fe wirfoddolodd Beti a mi gan nad oedd gennym frys mawr. Pan ddaeth hi'n amser i fynd ar yr awyren, roedd y broblem wedi ei datrys, ond gan ein bod wedi gwirfoddoli, cawsom fynd *1st Class* yr holl ffordd!

Chefais ddim cystal lwc wrth fynd i Chicago i ffilmio *Penblwydd Hapus Bryn Terfel* gyda Siân a'r criw camera cwpl o flynyddoedd wedyn. Pan gyrhaeddon ni'r ddesg mewnfudwyr ym Maes Awyr O'Hare yn Chicago, aeth y criw drwy un *lane*, a Siân a minnau drwy un arall. Fy mai i oedd hynny gan nad ydw i'n rhy hoff o *queues*. Aeth y criw drwodd yn ddidrafferth, ond cafodd Siân a mi ein stopio gan swyddog blin oedd yn mynnu bod y *visas* anghywir gennym gan ein bod yn dod i'r Unol Daleithiau i ffilmio. Y rhain oedd y *visas* oedd y Llysgenhadaeth yn Llundain wedi eu rhoi i ni, ac mi roedd gan y criw'r union yr un rhai, ond doedd dim dadlau i fod. Diflannodd ein *passports* ac roedd rhaid i ni aros mewn rhyw stafell gyda darpar fewnfudwyr eraill oedd wedi eu hamau o ryw drosedd neu'i gilydd, a rhaid cyfaddef, roedd ambell un yn edrych yn amheus iawn. Yn y diwedd cawsom fynediad i'r wlad gyda rhybudd i sicrhau ein bod yn cael y *visas* iawn y tro nesa. Diolch byth fod Siân wedi fy llusgo oddi yno cyn i mi ddechrau dadlau!

Fy ymweliad diwethaf â Gogledd America oedd yn 2009 pan gafodd Dafydd Iwan ac Ar Log wahoddiad i'r North American Festival of Wales yn Pittsburgh. Roeddwn wedi bwcio'r hediad gydag Air Canada i fynd o Heathrow drwy Toronto i Pittsburgh. Wrth checio'r offerynnau i mewn yn Heathrow am tua 5.00 y bore fe wrthododd y ddesg dderbyn y delyn deires gan ei bod yn rhy drwm. Roeddwn wedi anfon y manylion a'r mesuriadau i gyd atynt o flaen llaw ac roedd y delyn wedi ei nodi ar y tocyn fel offeryn. Roeddwn yn gwybod mai awyren fach oedd yr hediad o Toronto i Pittsburgh ac felly wedi sicrhau y byddai popeth yn iawn. Ond doeddwn i ddim yn disgwyl trafferth gyda *Jumbo Jet* anferth yn Heathrow. Doeddwn i erioed wedi cael trafferth o'r blaen mewn unrhyw wlad, ond doedd dim modd perswadio'r ddesg. Yn y diwedd roedd rhaid i mi fynd â'r delyn i'w chadw dan glo yn y maes awyr nes dod nôl, a cheisio trefnu llogi telyn allan yn Pittsburgh, ond yn amlwg doedd dim modd llogi telyn deires arall. Yn Toronto, gofynnodd Air Canada ble roedd y delyn gan fod lle wedi ei gadw ar ei chyfer yn yr awyren fach i Pittsburgh. Dwi'n ofni na alla i nodi yma beth oedd f'ymateb! Byddai rhywun yn dychmygu y byddai teithio dramor yn llawer haws erbyn hyn, ond yn achos yr Unol Daleithiau y gwrthwyneb sy'n wir, gwaetha'r modd.

Chile

ROEDDWN WEDI TEITHIO gydag Ar Log yn Ne America o'r blaen, yn 1985, ond i Ecuador a Cholombia yn unig. Yn 1987, daeth galwad arall gan y Cyngor Prydeinig yn gwahodd Ar Log i deithio unwaith eto i Dde America ym mis Tachwedd. Ond taith yn para mis y tro hwn, gan gychwyn yn Chile, yna i Periw ac Ecuador a gorffen yng Ngholombia. Roedd yn gyfle rhy dda i'w golli, gan y byddai teithio yn Ne America ar ein liwt ein hunain a heb gymorth corff cyhoeddus yn gwbl amhosib.

Y broblem gyntaf oedd sicrhau fod pawb ar gael am fis neu fwy. Roeddwn newydd orffen cyfnod gyda'r BBC yn Llundain ac wedi dychwelyd i'r BBC yng Nghaerdydd i weithio yn yr Adran Digwyddiadau. Roeddwn hefyd newydd fod yn cynhyrchu rhaglenni nosweithiol o Eisteddfod Ryngwladol Llangollen, Y Sioe Frenhinol a'r Eisteddfod Genedlaethol yn Llanrwst dros yr haf a heb fod yn sicr beth oedd i ddod dros yr hydref. Un posibilrwydd oedd cyfuno fy ngwaith yn y BBC gyda'r daith i Dde America. Felly, gofynnais i'r Pennaeth Rhaglenni ar y pryd a fyddai ganddo ddiddordeb mewn cyfres o raglenni o Dde America yn dilyn hynt a helynt Ar Log ac yn dilyn hanes y delyn – rhywbeth oedd yn gyffredin rhwng Cymru a cherddorion gwledydd De America – ar hyd yr Andes, o Chile i Golombia. Er syndod i mi, cytunodd, nid yn unig i'r daith a'r rhaglenni, ond pan ofynnais pwy fyddai'n cynhyrchu, dywedodd mai fi fyddai'n gyfrifol! Gofynnodd hefyd i mi ddewis cyfarwyddwr a chriw ffilmio! Roedd hyn yn gyfrifoldeb anferth a mawr yw fy niolch i John Stuart Roberts, Y Pennaeth Rhaglenni, am ddangos y fath hyder ynof.

Doedd cysylltu gyda gwledydd yn Ne America ddim mor hawdd â hynny yn yr 80au, ac felly, fel oedd yn gyffredin iawn gyda chriwiau ffilmio pryd hynny, roedd rhaid trefnu taith *recce*, sef taith *reconnaissance* i drefnu popeth ar gyfer y cyfnod ffilmio. Fe ofynnais i Iolo i ymuno a'r tîm cynhyrchu fel ymchwilydd gan ei fod yn rhugl mewn Sbaeneg, ac i fy nghyfaill yn y BBC, Paul Thomas, i fod yn gyfarwyddwr. Gan fod teithio yn Ne America yn gallu bod yn eitha trafferthus, y bwriad oedd teithio gydag un bag llaw yr un, ac er maint a phwysau'r bag oedd gen i, yn cynnwys camera fideo VHS oedd fel bricsen, llwyddwyd i'w osod o dan fy nhraed yr holl ffordd. Cyraeddasom Caracus yn Venezuela tua 4 o'r gloch y bore ac eistedd mewn *transit lounge* llawn *cockroaches* anferth oedd yn trio mynd i mewn i 'mag i (oedd wedi ei fedyddio yn 'Cinel' erbyn hyn oherwydd ei bwysau), a chyfarfod merch o'r enw Loveday Jenkins o Gernyw. Roedd hi wedi adnabod Iolo yn Heathrow gan fod ei chwaer, Morwena, yn byw yn Llydaw ac wedi dod ar draws Iolo yno ryw dro! Doedd dim yn y *transit lounge* i ddangos i rywun ym mha wlad oedden nhw, ond drwy'r ffenest roedd hi'n dechrau gwawrio, ac roedd modd gweld pa mor drofannol oedd y wlad. Ond eto, roedden ni'n synnu mor ara' deg oedd hi'n gwawrio a ninnau mor agos at y cyhydedd. Mynd allan ar y balconi wedyn, teimlo awyr gynnes chwech y bore a gweld ei bod hi wedi gwawrio ers meitin – roedd y ffenestri i gyd wedi eu tintio!

Cyrraedd Santiago de Chile erbyn y pnawn. Roedd y maes awyr yn eitha bychan a chyntefig a chloc mawr swyddogol yn deud Official Chile Time is: 12.41. Fedrwn i ddim gweithio allan y newid mewn amser a beth oedd parth amser Chile nes gweld yr un un cloc deg munud wedyn yn dal i ddangos 12.41! Aethom i gyfarfod y cyswllt yn y Cyngor Prydeinig a chwrae teg fe'n gwahoddodd i'w gartref moethus i gael swper ac i drefnu i ymweld â'r llefydd y byddai Ar Log yn perfformio ynddynt ym mis Tachwedd. Doedd y gwesty'r noson honno ddim i weld yn arbennig o saff – y diogelwch yn llac ac ambell un amheus yr olwg o gwmpas y cyntedd, felly cysgais efo'r belt arian amdanaf fel staes gan fod gen i dros $2,000 ynddo ar gyfer unrhyw gostau ar y daith.

Ar ôl gweld y Teatro Oriente a sortio goleuo, sain a ble i roi'r camera pan fyddai'r criw ffilmio yno, aethom â chyswllt Iolo, sef Pedro, am ginio i dalu'n ôl am ei gymorth drwy'r bore. Cawsom fwyd môr anhygoel, fel y byddai rhywun yn disgwyl ar arfordir deheuol y môr tawel, oedd yn llawn creaduriaid anghyfarwydd fel draenog y môr ac anemoni. Y dyfna yr oeddwn yn plymio i'r fowlen efo'r llwy, yr odia'r creadur. Yna aeth Iolo, Paul a fi i swyddfa gyhoeddusrwydd y Llywodraeth. Rhaid cofio fod Chile bryd hynny yn cael ei rheoli gan *junta* militaraidd o dan yr unben Pinochet, ac roedd cryn dipyn o brotestio a gwrthdaro gyda'r myfyrwyr. Dim syndod felly fod gan y swyddfa warchodwyr arfog wrth bob drws a'u bysedd yn barod ar y Kalashnikovs, ond eto roedd eu hymateb bob tro yn serchog. Addawodd y swyddog y byddai popeth yn iawn ar gyfer ein taith ac ar gyfer y ffilmio dim ond i ni gasglu'r trwyddedau roedd hi wedi eu paratoi, ac o'i hymddygiad hollol effeithlon, doedd gennym ddim rheswm i'w hamau. Yn y pnawn, aethom i leoliad arall y byddai Ar Log yn perfformio ynddo sef y Café Del Cerro. Roedd y clwb hwn yn enwog am gerddoriaeth dda, ac erbyn dallt roedd gweddw Victor Jara (y canwr protest enwog a arteithiwyd ac a laddwyd gan Pinochet), yn rhoi gwersi dawnsio ar y llawr ucha, ac roedd y clwb yn enwog am weithgareddau adain chwith, gwrth gyfundrefn. Roedd hyn braidd yn anodd ei ddallt. Pam fod y clwb a phawb oedd yn perfformio yno yn cael llonydd gan y gyfundrefn militaraidd? Hwyrach fod hi'n haws i'r llywodraeth gadw golwg ar unrhyw wrthwynebiad fel hyn?

Gyda'r nos wedyn aeth Iolo a fi allan i chwilio am far bach lleol i gael un cwrw bach cyn noswylio, gan fod gennym ni *flight* y bore wedyn i Arica am 07.30. Wel, dyna oedd y bwriad beth bynnag! Fe ffeindion ni far bach oedd yn edrych fel rhywbeth allan o set *Butch Cassidy and the Sundance Kid*. Ar ôl y cwrw, dyma sylweddoli fod pawb arall yn yfed gwin, felly, 'When in Santiago…'. *Vino tinto de Gato Negro* oedd pawb yn yfed, a da oedd o hefyd, ond aeth pethau i lawr allt wedi hynny. Daeth boi o'r enw Gaston atom, gŵr busnes a dipyn o fwydryn, oedd eisiau bod yn ffrindiau efo tramorwyr gan fod tramorwyr yn garedig gyda Chile ac mi brynodd botel arall o'r Gato Negro i ni. Roedd ei frawd yng nghyfraith y *Second Chief of Police* medda fo. 'Iechyd da', meddan ni ac i lawr aeth yr ail botel. Cyrhaeddodd ei ffrind oedd yn gwerthu *watches* wedyn. Roedd hwn ychydig yn gallach – mae'n rhaid ei fod o achos Iolo a fi brynodd y botel nesa! Yna daeth dau ffotograffydd atom ni, gyda un yn trio cyfieithu beth oedd y llall yn ei ddweud, ond erbyn hyn roedd Sbaeneg Iolo yn llifo bron cystal â'r gwin. Erbyn dallt roedd un ohonynt wedi cael llun o un o filwyr Pinochet yn saethu merch mewn protest yn ddiweddar. Roeddem wedi darllen am yr hanes – merch wedi ei lladd mewn protest heddychlon gan y Brifysgol. Roedd y Llywodraeth yn honni mai saethu i'r awyr oedd y milwr, ond roedd gan y gŵr yma lun oedd yn profi i'r gwrthwyneb, ond doedd neb yn Chile yn barod i gyhoeddi'r llun. Roedd o am i ni fynd â'r llun yn ôl i Brydain i'w gyhoeddi, ond yn y diwedd, diolch byth, fe newidiodd ei feddwl a dweud fod rhaid sortio problemau Chile yn Chile. 'Amen' meddwn i a daeth potel arall o'r Gath Ddu o rywle i'n hachub. Wrth adael y lle, roedd pawb yn *amigos* mawr ac fe basiodd Iolo a fi ein gwesty dair gwaith cyn ffeindio'r drws!

Toc wedi chwech y bore wedyn, daeth Paul i gnocio'r drws. Dyma neidio o'r gwely a thaflu popeth i mewn i 'Cinel' ac i lawr y grisiau ble roedd gyrrwr y Cyngor Prydeinig yn disgwyl i fynd â ni i'r maes awyr ar gyfer hedfan i Arica ar arfordir gogledd Chile. Doedd Ar Log ddim yn chwarae yno ond roedd Iolo wedi cael hanes rhyw grŵp traddodiadol o bentref bach yn uchel yn yr Andes a fyddai'n addas ar gyfer y rhaglen ddogfen. Porthladd bychan, tlawd iawn yr olwg oedd Arica ar gyrion anialwch yr Atacama ble, yn ôl y sôn, doedd hi ddim wedi bwrw ers 400 mlynedd! Ar ôl glanio roedd rhaid llogi car gan fod y pentref bach rhyw awr a hanner o daith i fyny yn y mynyddoedd. Un lle oedd yn Arica i logi car a dim ond un car oedd ganddyn nhw sef VW Beetle. Roeddent eisiau $1,200 fel ernes ar y car, oedd yn llawer mwy na gwerth y car! Ond doedd gennym ni ddim dewis, felly rhoddais y doleri iddynt gan deimlo fel ffŵl braidd. Gofynnom am dderbynneb gyda rhif cofnod y doleri arnynt rhag ofn i ni gael rhai ffug yn ôl ar ôl dychwelyd y car. Roedd golwg y 'D' ar y car a'r teiars i gyd yn foel, ond *off* â ni i nôl cyswllt Iolo yn Arica, Rodomiro, cyn mentro i'r Andes i chwilio am y pentref bychan o'r enw Socoroma. Fe lenwon ni'r car efo bwyd, diod a phetrol gan fynd a chan sbâr hefyd gan nad oedd yna obaith am garej y tu allan i Arica. Tua 80 milltir oedd y daith i fod, i gyd ar i fyny, ac roedd y golygfeydd yn anhygoel wrth basio hen gaer o gyfnod yr Incas a'r mynyddoedd uchel yn y cefndir. Ar ôl tua 65 milltir, daeth y tarmac i ben ac o hynny ymlaen doedd dim modd mynd allan o'r ail gêr. O'r diwedd, gwelsom arwydd Socoroma tua 3 milltir i lawr mewn dyffryn bach.

Erbyn hyn, roeddem wedi dringo dros 9,000 o droedfeddi. Roedd y car yn colli pŵer yn yr awyr denau a'r llywio yn mynd yn anwadal iawn wrth fynd lawr y ffordd serth i'r pentref. Roedd hi wedi cymryd tair awr i deithio 80 milltir a hithau'n chwech yr hwyr erbyn hyn. Doedd dim trydan yn y pentref, ac eithrio rhyw *generator* yn dod ymlaen am 7.30, roedd ychydig o eifr o gwmpas y lle a 3 neu 4 o blant yn chwarae, ond fel arall – tawelwch perffaith. Doedd dim ffenestri gwydr yn unman – doedd dim angen a hithau heb lawio am 400 mlynedd! Aeth Rodomiro â ni i'w hen gartref. Tŷ bychan oedd o gyda dwy stafell yn unig, bwrdd, mainc a dwy gadair, a sachau corn gyda llygoden fach yn byw oddi tano – doedd neb arall yn byw yna erbyn hyn. Taniodd Rodomiro y ddwy gannwyll ar y bwrdd a berwi dŵr yn y cefn i wneud coffi. Ond cyn cael coffi roedd rhaid cael *aperitif* bach allan o ryw hen botel lychlyd oedd mewn cwpwrdd bach. Un sip bach a dyma bob teimlad o'r gwefusau i'r corn gwddw yn diflannu, yna tinglian poeth wrth i'r teimlad ddychwelyd. '98% alcohol' meddai Rodomiro, efo gwên fawr, 'de Bolivia', ac roedd gwell i ddod. I mewn â fo i focs arall a thynnu bagiad o ddail bach gwyrdd allan. Roedd rhaid cnoi rhyw bedwar nes oeddent yn beli bach yn y geg er mwyn helpio gyda'r uchder a'r aer tenau. Tydi cnoi dail coca ddim yn anghyfreithlon yn Chile, eu trin i wneud *cocaine* sy'n anghyfreithlon! Roedd yr effaith yn ddigon pleserus ac ymlaciol. Cymerodd Iolo lond llaw arall jest i wneud siŵr. Os oeddem ni'n 9,000 o droedfeddi o'r blaen, roeddem ni dros 12,000 erbyn hyn!

Ar ôl coffi ac wedi trefnu popeth ar gyfer y ffilmio, cychwynnom yn ôl, gyda Paul yn dreifio y tro hwn. Roedd yr awyr yn hollol glir – dim llygredd golau o unthyw fath – a'r sêr a'r lleuad mewn mannau anghyfarwydd iawn. Fel arfer mae'r siwrne yn ôl o rywle wastad yn gynt, ond nid y tro hwn. Ar ôl i'r teiars moel daro'r holl gerrig mân ar y trac, doedd hi'n fawr o syndod i ni gael pynctiar ar waelod y mynyddoedd. Wrth lwc, roedd olwyn sbâr yn y tu blaen, eto yn foel, ond yn llawn aer.

Cyrhaeddom y gwesty bach, cael pryd o fwyd môr bendigedig eto, ffarwelio â Rodomiro, ac yna yn y bore mynd â'r car yn ôl. Yn annisgwyl, cawsom yr ernes o $1200 yn ôl heb drafferth a dyma holi am gerbydau at fis Tachwedd ar gyfer y criw ffilmio.

Ar ôl cerdded ychydig, cawsom *colectivo*, sef rhyw fath o dacsi i fynd â ni dros y ffin i Beriw ac i Tacna er mwyn dal awyren i Lima. Mae nifer o'r *colectivos* yn gwneud y siwrne yma ac yn helpu pobl i groesi'r ffin rhwng y ddwy wlad – rhoi ychydig o ddoleri Americanaidd iddyn nhw ac maent yn mynd â'ch passport chi, iro dwylo swyddogion y tollau ac yn eich cael dros y ffin yn gynt!

***

Ar ôl dychwelyd o'r *recce* yn ôl i Gymru ddechrau mis Hydref, roedd gennym ni bron i fis i drefnu'r daith efo Ar Log a'r criw ffilmio cyn cychwyn yn ôl i Dde America. Gan mai'r Cyngor Prydeinig oedd yn trefnu taith Ar Log, mater o gydlynu'r cwbl efo amserlen y ffilmio a phenderfynu ar yr elfennau eraill yn y rhaglenni ddogfen oedd y rhan fwyaf o'r ymchwil a'r gwaith trefnu.

Ar Dachwedd 4ydd, 1987, felly dyma gychwyn yn ôl am Chile gyda'r criw ffilmio a 39 o focsus metal i ddal y geriach i gyd gan gynnwys offerynnau Ar Log. Wrth nodi 'criw ffilmio', dyna yn union oedd o, sef criw yn saethu ar ffilm 16 mm. Dau ŵr camera, Gerald a Huw; dau beiriannydd sain, Jeff a Paul; ac un person goleuo, Steve. Ar yr ochr gynhyrchu, roedd y cyfarwyddwr, Paul a chynorthwy-ydd cynhyrchu, Jan, heb anghofio Iolo'r ymchwilydd a minnau fel cynhyrchydd. Roedd deuddeg ohonom i gyd, ac roedd y criw yn mynnu mynd â phopeth efo nhw gan gynnwys batris sbâr, er bod Paul, Iolo a fi, yn dilyn y *recce*, wedi ceisio eu darbwyllo fod batris ar gael yn Ne America hefyd. Roedd yr offer yn drwm iawn, yn enwedig y bocs oedd yn cario'r stoc ffilm. Mae'n anodd credu y byddai'r holl ddeunydd gweledol oedd ar y ffilm yn y bocs ar ddiwedd y daith, erbyn heddiw, wedi ffitio'n braf ar un sglodyn bach maint gewyn!

Roedd y daith i Santiago de Chile yn boenus braidd gyda'r holl offer a'r newidiadau – Heathrow i Frankfurt, Frankfurt i Madrid, Madrid i Caracus, Caracus i Bogotá, Bogotá i Lima, Lima i Santiago – a'r cwbl wedi cymryd 33 awr. Er gwaetha'r holl newid awyrennau, fodd bynnag, dim ond un bag aeth ar goll, sef cês dillad Geraint. Fe gyrhaeddodd yr handlen gyda'r label a'r *tag* ynghlwm arno, heb y cês, ar y belt ym maes awyr Santiago. Ar ben hynny, am 5.30 y bore wedyn roeddem ni fel Ar Log yn gorfod hedfan i lawr i Concepción ar gyfer ein cyngerdd cyntaf yn Chile. Ail dref fwyaf Chile yw Concepción, tua 300 milltir i'r de orllewin o Santiago ar arfordir y Môr Tawel a cheg yr afon Bio Bio. Tref brydferth iawn, gyda phrifysgol anferth a nifer o adeiladau hardd, trefedigaethol Sbaenaidd. Roeddem yn chwarae'r noson honno mewn theatr grand ofnadwy. Aeth y cyngerdd yn iawn, ond roedd rhaid cael noson gynnar gan fod y *flight* yn ôl i Santiago y bore wedyn am 07.30.

Cawsom saib bach wedyn cyn cychwyn gosod popeth yn

y Café del Cerro gyda'r criw ffilmio ar gyfer y noson honno. Hwn oedd y clwb yr oeddem wedi ei weld yn ystod y *recce* ond erbyn hyn roedd dau grŵp arall ac unawdydd yn perfformio efo ni, sef Congresso, Andcan a'r canwr Eduardo Gatti. Roedd Congresso yn fand adnabyddus iawn yn Chile a'u caneuon fel 'Calypso intenso, casi azul' yn enwog yn ystod yr ymgyrch i ddisodli Pinochet ac ail gyflwyno democratiaeth i'r wlad. Roedd Eduardo Gatti hefyd yn enwog ac wedi bod yn ganwr ac yn gitarydd ym mand Victor Jara. Roedd hi'n noson fawr felly, y clwb yn orlawn a'r gynulleidfa yn frwdfrydig dros ben. Roedd hi'n tua 1.00 o'r gloch bore arnom ni'n cael cychwyn ar y llwyfan, ond roedd hi'n noson fythgofiadwy, nid yn unig oherwydd y gynulleidfa, ond oherwydd i ni gael rhannu llwyfan gyda rhai o brif artistiaid Chile – gwir anrhydedd.

Y bore wedyn am 6, ar ôl ychydig iawn o gwsg, roedd y criw ffilmio yn hedfan i ogledd Chile i Arica i ffilmio'r grŵp yr oeddem wedi ei drefnu ar y *recce* yn Socoroma. Fe gafodd Ar Log ddiwrnod mwy hamddenol yn paratoi ar gyfer ail noson yn y Café del Cerro. Doedd y bandiau eraill ddim yn canu yn yr ail noson, dim ond Ar Log ac Eduardo Gatti, ac felly roedd popeth yn llawer haws o ran offer a *soundcheck*. Yn ystod yr ymarfer, dyma Eduardo yn gofyn a fyddai'n cael canu 'Y Deryn Pur' efo ni – roedd o wedi hoffi'r gân ar ôl y noson gyntaf, ac wedi dysgu hi o'n casét. Roedd y nos Sadwrn yn llawer mwy hamddenol, a'r gwrandawiad gan y gynulleidfa o bosib yn well na'r noson wyllt gyntaf, a do, mi ganodd Eduardo Gatti 'Y Deryn Pur' efo ni ar y llwyfan i dderbyniad gwresog a brwdfrydig iawn y gynulleidfa.

Bore Sul wedyn ac roeddem ar ein ffordd i Viña del Mar, sef tref lan y môr i'r gorllewin o Santiago ar gyrion y porthladd enfawr Valparaiso – taith o ryw 80 milltir mewn bws. Rhyw noson go od oedd hi, mewn casino, yn debyg i rywle yn Las Vegas neu Monte Carlo, oedd yn arfer cynnal nosweithiau *cabaret*. Mae'n bosib mai'r ffaith ein bod newydd gael dwy noson dda yn y Cafe del Cerro oedd ar fai, ond dwi'n credu mai ni oedd y grŵp anghywir yn y lle anghywir ar yr adeg anghywir yn ceisio perfformio i'r gynulleidfa anghywir – doedd hi ddim yn un o'n nosweithiau gorau ni!

Ta waeth, dydd Llun wedyn oedd ein cyngerdd olaf yn Chile. Roedd y criw ffilmio wedi dychwelyd o Arica ac yn barod i osod yr offer er mwyn ffilmio'r noson yn y Teatro Oriente yng nghanol Santiago. Ar ôl y noson yn Viña del Mar, roeddem i gyd yn gobeithio am noson well i orffen ein taith yn Chile, a diolch byth cawsom noson arbennig o dda ac ymateb gwych gan y gynulleidfa. Roedd gwahoddiad wedyn i ni ac Eduardo Gatti i fynd am dderbyniad bach a 'garddwest' yn nhŷ rheolwr y Cyngor Prydeinig yn Chile. 'Garden party and informal session' oedd y geiriau, ond unwaith mae rhywun yn nodi fod sesiwn anffurfiol ar yr agenda, mae'n annhebygol iawn o fod yn 'anffurfiol'.

Pan gyrhaeddon ni'r tŷ, roedd 30 o wahoddedigion yn eistedd yn ddel mewn rhesi, llwyfan bach wedi ei osod i ni ar y patio, a'r Llysgennad a'i wraig yn y seddau blaen. Ar ôl hanner awr o 'sesiwn anffurfiol' fodd bynnag, fe gychwynnodd pawb ymlacio ac mi aeth yn anffurfiol go iawn wedyn gydag Eduardo yn ymuno i ganu 'Y Deryn Pur' efo ni unwaith eto. Dyna, heb os, oedd uchafbwynt y daith i Chile i mi.

Periw

RHYW AWR o siwrne ydi hi o Arica yng ngogledd Chile i Tacna yn ne Periw. Hedfan o faes awyr bach Santa Rosa Carlos i'r brifddinas Lima oedd cam nesaf y daith ar y *recce* i baratoi ar gyfer ffilmio'r gyfres ddogfennol, *Band yr Andes*, i'r BBC gydag Ar Log yn hydref 1987. Roedd Paul, y cyfarwyddwr, Iolo, yr ymchwilydd, a minnau wedi croesi'r ffin o Chile i Beriw mewn *colectivo*, rhyw fath o dacsi, ble mae'r gyrrwr yn 'esmwytho' y broses gyda'r swyddogion tollau efo llond llaw o ddoleri Americanaidd. Rhyw sied fach ar dir diffaith a llychlyd ar gyrion deheuol Tacna oedd y maes awyr, felly welon ni mo'r dre o gwbl, ac ymhen hir a hwyr fe ddaeth yr awyren. Clywsom nifer o straeon am ba mor beryg oedd Lima gyda'r nos, ond a bod yn deg, chawson ni ddim trafferth o gwbl, er roeddem yn tueddu i gadw draw o'r *downtown*. Roedd Lima yn llawn marchnadoedd bach yn gwerthu crefftau, gwaith celf, gemwaith a thlysau'r *Quechua*, sef yr Indiaid brodorol, ond roedd rhaid paratoi am adael yn y bore i fynd i Cusco, cyn-brifddinas yr Incas.

Cyrhaeddom y maes awyr am 5.30 y bore a checio i mewn. Erbyn 10.30 roeddem yn dal yno heb unrhyw eglurhad, ond roedd pawb yn dweud fod hyn yn arferol. Am 11.00, daeth yr awyren – hen DC8 ac mi ysgwydodd yn ddi-baid yr holl ffordd i Cusco gyda phawb o'r teithwyr yn sgrechian. Roeddwn yn gafael yn dynn yn fy sedd yr holl ffordd i rwystro fy mhen rhag taro yn erbyn y ffenest – doedd hi ddim y *flight* orau i mi ei chael! Y drefn arferol yw hedfan yn gynnar, cyn i'r haul gynhesu'r tir yn ormodol sy'n achosi llai o *turbulance* wrth hedfan dros yr Andes, ond unwaith mae'r awyren yn hwyr, mae'r siwrne yn un anesmwyth iawn. Mae Cusco ar uchder o tua 11,000 o droedfeddi yn yr Andes ac yn fan cychwyn i nifer sydd ar daith i weld Machu Picchu, hen gaer yr Incas. Roedd yr olygfa yn anhygoel a'r ddinas bron mewn bowlen o dir a chopaon yr Andes yn ei chwmpasu. Wrth gamu oddi ar yr awyren, tarodd yr awyr denau ni'n syth – roeddwn bron yn methu ag anadlu. Roedd hi'n anodd cario'r bag fwy nag ychydig o gamau heb gael seibiant bach i gael ein gwynt atom. Y cyngor oedd cysgu am ryw ddwy awr er mwyn i'r ysgyfaint ddod i arfer, ac ar ôl dewis gwesty yng nghanol y dre, cawsom napan bach. Ymhen tair awr, roedd y tri ohonom yn llawer gwell ac yn barod i fynd i gyfarfod â'r cyswllt yr oedd Iolo wedi ei drefnu i'n harwain, sef Victor Manuel.

Ar ôl chwilio drwy'r strydoedd cul, amrywiol eu persawr – o ffrwythau a llysiau yn pydru i garthion, daethom o hyd i'r tŷ, ond rhaid oedd gadael neges gyda'r ferch fach drws nesa gan fod neb adra. Yna ymlaen i siop mam Victor, ond doedd neb yn y fan honno chwaith. Felly yn ôl i'r gwesty â ni, a chyn pen dim, cyrhaeddodd Victor oedd wedi cael y neges drwy ryw ddirgel ffyrdd.

Roeddem yn awyddus i ffilmio hen delynor oedd yn byw, yn ôl ymchwil Iolo, mewn pentref bach yn uwch eto yn yr Andes. Roedd y gŵr hwn yn gwneud telynau ac yna yn eu canu ar ben i lawr wrth ymdeithio, gan orffwys y delyn ar yr ysgwydd, a'r traed i fyny yn yr awyr. Ond sut oedd dod o hyd iddo? Roedd Victor yn adnabod criw o ddawnswyr traddodiadol mewn theatr gyfagos, ac ar ôl siarad gydag arweinydd y band, fe'n cyfeiriodd at hen delynor dall oedd yn canu'r delyn mewn bwyty yn y ddinas gyda'r nos. Ar ôl crwydro strydoedd yr Inca, gyda'r cerrig ithfaen anferth yn cloi i'w gilydd yn berffaith, daethom o hyd i'r bwyty a'r hen delynor dall. Roedd Victor yn siarad Quechua, iaith y trigolion brodorol, yn ogystal â Sbaeneg ac felly ar ôl holi'r telynor, cawsom enw'r gwneuthurwr telynau yn y mynyddoedd, ac enw'r pentref. Penderfynom fynd i chwilio am y pentref y bore wedyn a cheisio llogi car. 'A i â chi' meddai perchennog y gwesty, a dyma fo'n cau'r gwesty am y dydd a mynd â'r pump ohonom yn ei gar, sef Paul, Iolo, Victor, ei gariad Carmen, a fi. Roedd perchennog y gwesty yn methu dallt pam nad oeddem isio mynd i Machu Picchu fel pob ymwelydd arall yn Cusco, ac yn wir mi roedd o'n ddewis anodd iawn i beidio mynd. Roeddem ni yno, ar gyrion y gaer hynafol ryfeddol, ac o bosib ddim yn mynd i gael y cyfle byth eto, ond roedd rhaid cadw at y cynllun a mynd i chwilio am y telynor yn y mynyddoedd. Fe brynon ni ychydig o fwyd yn y farchnad yn Cusco – ychydig o nionod, afocado, tomatos, caws a chwrw, a phrynu bara gan hen ferched ar ochr y stryd mewn pentref bach arall. Holon ni am y telynor ymhob un o'r pentrefi bach ar y ffordd, nes yn y diwedd cyrraedd y pentref cywir. Pentref bach anial a chyntefig iawn yw Checacupe, a sgwâr bach gyda hen ferched yn eistedd y tu allan i'r 'dafarn'. Roedd hi'n hynod o boeth erbyn hyn a'r haul yn llosgi'n syth gan ein bod mor uchel a'r awyr yn denau. Cawsom gwrw bach efo nhw a chael enw'r telynor a lle i'w ffeindio. Yna cerdded i lawr strydoedd bach di-ri, gyda moch yn gorwedd yn y ffrwd fach oedd yn rhedeg i lawr canol y strydoedd, a dod o hyd i'r telynor wrthi'n adeiladu pont. Cawsom lond dysgl o *chicha* gan ferched oedd yno, sef math o gwrw cartref, oedd ddim yn teimlo yn ofnadwy o gryf, ac yna dilyn y gŵr yn ôl i'w dŷ. Cawsom gyngerdd bach ganddo yno ar y delyn, a chroeso mawr, a threfnu popeth ar gyfer y ffilmio ym mis Tachwedd. Roedd gan y telynor grŵp bach ac erbyn dallt roedd yna wyth telynor arall yn byw yn y pentref bach yma!

Aethom ymlaen wedyn i bentref bach arall yn uwch eto fyth yn yr Andes, ar ôl clywed fod telynor arall yn byw yno. Cawsom saib ar y ffordd ger rhyw nant i gael cinio. Rhoddodd Victor y cwrw, y ffrwythau a'r caws (oedd wedi cychwyn chwysu erbyn hyn) yn y nant i oeri, ac yna o dan gysgod coed ewcalyptws ac olewydd, cawsom y picnic gorau erioed. Bara gydag afocado, sialóts a chaws, yna *papaya* fresh, a chwrw oer i olchi'r cwbl i lawr. Ar ôl cyrraedd y pentref arall, oedd yn fwy cyntefig fyth na Checacupe, darganfyddom fod yr hen delynor wedi marw ddeuddydd ynghynt! Dwi'n ofni imi golli y daith yn ôl i Cusco gan i mi gysgu y rhan fwyaf o'r ffordd, ond wrth ddeffro sylweddolais fy mod wedi llosgi fy mreichiau a'n wyneb yn yr haul a'r awyr denau. Dwi'n siŵr mai ar yr haul oedd y bai i mi gysgu felly ac nid y *chicha*! 'It's good to be back in civilisation' meddai Carmen, wrth i ni gyrraedd Cusco. Dwi'n meddwl fy mod i'n dallt be oedd hi'n ei olygu. Doedd y pentrefi bach yn y mynyddoedd ddim yn 'anwaraidd' o bell ffordd, ond roeddent yn gyntefig, ac i ni roedd Cusco yn gyntefig o'i gymharu â Lima, a Lima yn ei dro yn gyntefig o'i gymharu â Chaerdydd neu Baris, mae'n siŵr.

Roedd gennym docynnau ar gyfer y *flight* gyntaf o Cusco yn ôl i Lima y bore wedyn am 8.30, ond doedd hynny yn golygu dim. Roedd y broses checio i mewn yn Cusco yn wahanol iawn i unrhyw beth roeddwn i wedi ei weld mewn maes awyr o'r blaen. Y tric oedd taflu eich bag dros y cownter unwaith y byddai'r staff yn cyrraedd y ddesg, yna mynnu eich bod chi'n cael sedd gan fod eich bag yna'n barod. Wnaethom ni ddim dallt hyn i ddechrau, ac felly mi aeth y *flight* gyntaf yn llawn o'r teithwyr cyfrwys hynny. Erbyn yr ail *flight* am 11.30, fodd bynnag, roeddem yn dallt y sgôr. Pan ddaeth y ferch i agor y ddesg, dyma Iolo, Paul a fi yn neidio amdani a lluchio'n bagiau dros y cownter gan sicrhau lle ar yr awyren, ond roedd hi dros awr arall cyn iddi godi i'r awyr. Doedd y drws ddim yn cau yn iawn, ac roedd hi'n bosib gweld golau coch yn fflachio yn y *cockpit* bob tro yr oeddynt yn trio cau'r drws. Yn y diwedd daeth dyn mewn oferôls a rholyn o'r tâp stici efo sbwng sydd i'w roi ar ffenestri i arbed drafft, a thorri darn a'i ludo o gwmpas y drws. Yna cic go hegar i'r drws wrth ei gau, gweld bod y golau coch ddim yn fflachio, ac i ffwrdd â ni! Roedd ein cyd-deithwyr wedi manteisio'n llawn ar gael eu seddau hwythau ar yr awyren hefyd, gan ddod â phopeth dan haul gyda nhw ar y daith i Lima – rhai efo matresi, eraill efo teledu ac un efo caets yn llawn ieir! Roedd hi'n braf iawn ac yn dipyn o ryddhad cyrraedd yn ôl i Lima, ac roedd yr effaith o ddod o uchder o 11,000 o droedfeddi i lawr i lefel y môr yn rhoi rhyw egni anhygoel i'r corff gyda'r holl ocsigen bellach ar gael i'r ysgyfaint ar ôl i ni gynefino â'r prinder. Y noson honno daeth cyfle i fynd o gwmpas marchnadoedd y stryd eto i weld y crefftau. Mi brynais set o 4 o ddarluniau olew o olygfeydd strydoedd Cusco gan artist lleol i gofio am y daith. Mil o Intes oedd y gost ar ôl bargeinio, sef tua £15.00, ac maen nhw wedi eu fframio ar y wal y tu ôl i mi wrth i mi deipio'r hanes hwn. Roedd y bore wedyn yn llawer mwy hamddenol a'r checio i mewn yn dipyn callach wrth i ni hedfan i Quito yn Ecuador am y cam nesaf o'r daith.

**

Roedd y daith o Chile i Beriw ym mis Tachwedd gyda'r grŵp a'r criw yn un o'r *flights* gorau ar y daith yn Ne America. Hedfan gyda chwmni Lan Chile – awyrennau cyfforddus dros ben, gwasanaeth dosbarth cyntaf, bwyd da a siampên yn rhan o'r arlwy. Roedd Rheolwr y Cyngor Prydeinig, John England, yn disgwyl amdanom yn y maes awyr yn Lima ac fe'n hebryngodd i'r gwesty, sef Hotel La Castellana yn Miraflores, un o ardaloedd prydferthaf Lima. Fel yr oeddwn yn cyrraedd y dderbynfa, daeth galwad i mi gan Radio Cymru. Roedd rhywun wedi cysylltu efo nhw yn cwyno ein bod wedi chwarae yn Chile, a'n cyhuddo o gefnogi cyfundrefn Pinochet gan gymharu'r sefyllfa gyda mynd i chwarae yn Ne Affrica yn ystod y cyfnod apartheid. Mi gytunais i wneud cyfweliad y bore canlynol cyn i ni hedfan i Piura yng ngogledd Periw i wneud cyngerdd. Pan ddaeth yr alwad yn y bore, sylweddolais mai Gareth Glyn oedd yn fy holi ar gyfer y *Post Prynhawn* yn ddiweddarach yn y dydd. Roedd alltudiaid o Chile yng Nghymru ar y pryd – wedi ffoi rhag cyfundrefn ffasgaidd Pinochet – ac roeddem yn dallt y gallai ein hymweliad â Chile eu cythruddo gan ein bod ni yn dangos rhyw fath o barch i'r gyfundrefn. Ond roedd y sefyllfa yn hollol wahanol i Dde Affrica. O'n profiad ni, doedd y rhan fwyaf o drigolion y wlad ddim isio Pinochet a'i *junta* militaraidd i'w rheoli. Doedd y myfyrwyr a'r criw yn y Cafe Carillon oedd yn trio ein cael i fynd â'r llun o fyfyrwraig yn cael ei saethu gan filwr yn ôl i'w gyhoeddi ddim isio Pinochet, a doedd yr un o'r gynulleidfa yn y Cafe Del Cerro yn bendant ddim yn bleidiol dros Pinochet chwaith. Drwy wneud cysylltiadau gydag Eduardo Gatti, grwpiau adain chwith fel Congresso a chefnogwyr Victor Jara, roeddem yn gobeithio ein bod wedi cryfhau'r berthynas gyda Chymru, a bod hwythau yn ymwybodol fod yna gefnogaeth i'w hymdrechion i gael gwared â Pinochet ar draws y byd.

Erbyn amser cinio roeddem ar ein ffordd i Piura gyda John England o'r Cyngor Prydeinig, ac fe gawsom y croeso mwyaf bendigedig yn y maes awyr. Cawsom ein trin fel rhyw 'enwogion' wrth i'r wasg dynnu ein lluniau a chael croeso swyddogol gan y maer a swyddogion y dre. Roedd hi'n hynod o boeth a llaith, tua 35°C, ac ar ôl mynd i'r gwesty, oedd yn debyg i rywbeth allan o'r ffilm *Casablanca*, roedd rhaid i ni wneud cynhadledd i'r wasg a'r teledu lleol. Fe wnaeth Iolo gyfweliad yn Sbaeneg, ac yna cawsom ein harwain o gwmpas y dref i weld yr holl atyniadau. Doedd dim llawer o atyniadau a dweud y gwir, a dwi'n amau os oedd Piura yn cael llawer o ymwelwyr o gwbl, ond mi roedd Amgueddfa Miguel Grau yn werth ei gweld. Llyngesydd enwog oedd Miguel Grau oedd wedi arwain Periw yn ystod rhyfel y Môr Tawel yn erbyn Chile yn y 19eg ganrif. Yn amlwg roedd yn arwr ym Mheriw ac yn arbennig felly yn Piura. Erbyn dallt roedd nifer o Gymry wedi ymladd gyda llynges Periw yn erbyn Chile, a nifer o ddisgynyddion y Cymry yn byw yn Piura. Un ohonynt oedd y Pennaeth yn y Brifysgol yno sef Arturo Davies Guaylupo. Roedd Arturo wedi gwirioni fod Geraint hefyd yn 'Davies' ac o hynny ymlaen roedd Arturo yn mynnu cael ei alw'n *abuelo* Geraint (sef taid). Cawsom weld y neuadd lle roeddem yn chwarae, sef rhyw fath o sinema anferth oedd yn dal dros 1,000 o bobl, ond ar yr arwydd y tu allan roedd yna gamsillafiad bach – mewn llythrennau bras roedd 'Grupo Ar Loo'!

Wrth i ni wneud y *soundcheck* efo'r peiriannydd, sylweddolom fod sŵn ofnadwy yn y *speakers* a bod yr *earth* yn wael iawn yno. Felly, dyma ni'n rhoi weiran *earth* o'n cymysgydd i'r gawod, ond yn anffodus pibellau plastig oedd yn y waliau. Felly, dyma droi'r gawod ymlaen, a hwrê, diflannodd y sŵn. Ond cyn dechrau'r cyngerdd, diffoddodd trydan y dref ac aeth pob man yn dywyll, gyda thua 1,300 o bobl yn eistedd yn disgwyl. Roedd pawb yno, gan gynnwys y Maer, Arturo a swyddogion eraill y dref, ond daeth y pŵer yn ôl jest cyn amser dechrau. Doedd o ddim yn un o'n perfformiadau gorau ni – dwi'n meddwl fod y blinder a'r holl deithio wedi cychwyn dweud arnom ni, ond roedd y gynulleidfa i weld wrth eu bodd. Doedd dim llawer o grwpiau o dramor yn dod i Piura, felly roedd y gynulleidfa yn hynod werthfawrogol fod Piura wedi cael ei ddewis fel un o leoliadau'r daith, o bosib oherwydd y cysylltiad Cymreig, a doedd dim byd yn ormod o drafferth gan y trigolion lleol i wneud ein hymweliad yn un pleserus. Ar ôl y cyngerdd, cawsom dystysgrif gan y Brifysgol i nodi ein hymweliad ac anrhegion gan Arturo, ond wedyn daeth newyddion difrifol iawn. Roedd pla biwbonig wedi ei ddarganfod ar gyrion y dref, ac felly fe'n cynghorwyd i adael yn fuan iawn y bore wedyn. Er ein bod wedi cael nifer o frechiadau cyn y daith, doedd un yn erbyn y pla biwbonig ddim yn un ohonynt. Doeddwn i ddim yn synhwyro dim panic anferth, ond roedd gadael yn gynnar yn swnio'n gall i mi.

Roedd y *flight* i fod i adael am 8.30 ond fel oedd yn arferol ym Mheriw, cawsom awr o oediad. Mi gyrhaeddon ni Lima, fodd bynnag, mewn da bryd, ond dydd Gwener 13eg oedd hi! Wrth ddisgwyl am ein hoffer a'n hofferynnau ar y belt, dim ond ein bagiau dillad ddaeth drwodd. Roedd drws yr *hold* – oedd yn dal yr offer i gyd – wedi sticio a neb yn gallu ei agor. Roedd gennym gyngerdd mawr y noson honno yn Lima, gyda holl uwch-swyddogion y brifddinas, felly roedd rhaid cael yr offerynnau. Aeth John England i holi swyddogion y maes awyr ac wrth iddo drio datrys y broblem, hedfanodd yr awyren yn ei blaen i Tacna yn ne Periw gyda'r offerynnau i gyd yn dal arni hi! Fe ddywedwyd wrthym i ddod yn ôl am 3 y pnawn gan y byddai'r awyren yn ôl erbyn hynny. Aeth Iolo a mi i'r theatr i osod yr hyn oedd yn bosib ac aeth Gwyndaf a John England yn ôl i'r maes awyr am 5. Roedd yr awyren yn ei hôl, ond gan ei bod hi'n ddydd Gwener, roedd hi bellach yn yr *hangar* am y penwythnos a neb yn bwriadu gwneud dim tan ddydd Llun! Aeth John England yn wallgo a mynnu fod technegydd yn dod i ddatrys y broblem. Ar ôl waldio drws yr *hold* am oes fe lwyddodd y technegydd i'w agor a chyrhaeddodd yr offerynnau a gweddill yr offer sain y theatr am 7.30 – roedd y cyngerdd yn cychwyn am 8.00!

Aeth y cyngerdd yn rhyfeddol o dda, a'r diwrnod wedyn cyrhaeddodd y criw ffilmio oedd wedi bod yn Cusco er mwyn gosod a ffilmio ein hail noson yn y theatr. Y pnawn wedyn aethom i lawr i *downtown* Lima i wneud ychydig o ffilmio. Roeddem wedi clywed fod dawnsfeydd neu gyngherddau byrfyfyr i'w cael mewn meysydd parcio gwag ar bnawniau Sul yn y ddinas, a *buskers* o gwmpas y lle, ac felly byddai'n gyfle i drio ffilmio'r gerddoriaeth gynhenid. Roedd pawb yn ein rhybuddio hefyd fod y digwyddiadau hyn yn gallu bod yn llefydd peryg i ymwelwyr, ac felly'r cyngor oedd peidio gwisgo na chario unrhyw beth oedd yn ymddangos yn ddrud. Ond ar ôl dod o hyd i un o'r meysydd parcio hyn a chychwyn ffilmio, fe gawsom groeso rhyfeddol, ac erbyn y diwedd roedd Geraint yn cael gwersi dawnsio'r *salsa* gan un o'r merched lleol. Roedd gennym ni dair noson yn y theatr i gyd, felly nos Sul oedd ein cyngerdd olaf ym Mheriw, a honno oedd y noson orau. Roedd ychydig o Gymry alltud yn y gynulleidfa ac mi roddodd hynny egni ychwanegol i ni, dwi'n credu.

Mae'n siŵr mai Periw oedd y wlad dlotaf o'r pedair gwlad ar ein taith i Dde America, ond pe bawn i yn gorfod dewis un i ailymweld â hi, dwi'n credu mai Periw fyddai honno. Er bod nifer o'r pentrefi a'r trefi yn gyntefig iawn a'r tlodi yn amlwg, roedd rhyw ysbryd a balchder yn y bobl. Roedd yr hanes, y diwylliant a'r traddodiadau yn ddifyr, a'r croeso ymhob man yn gynnes.

Ecuador a Cholombia

PAN DDAETH YR alwad gyntaf gan y Cyngor Prydeinig yn 1985 i Ar Log fynd i Ecuador a Cholombia i berfformio, roedd yn anodd ei goelio rywsut. Roeddem wedi ceisio cael nawdd gan Gyngor Celfyddydau Cymru a/neu'r Cyngor Prydeinig i helpu gyda'r costau teithio ers blynyddoedd, ond yn aflwyddiannus. Rŵan, ar ôl i ni roi'r gorau i'r teithio yn llawn amser, daeth y cynnig i fynd i Dde America. Roeddwn i newydd gwblhau cwrs hyfforddi fel cyfarwyddwr teledu yn y BBC dros yr haf a bellach yn gweithio ar gyfresi fel *Juice, The Chris Stuart Cha Cha Chat Show*, a rhaglen fyw Hywel Gwynfryn. Roedd Stephen yn dal yn y coleg yng Nghaergrawnt, ac roedd Iolo, Gwyndaf a Geraint yn gweithio'n llawn amser. Y cam cyntaf felly oedd sicrhau fod pawb ar gael am ychydig o ddyddiadau. Taith fer iawn oedd hon, gyda dim ond rhyw ddau neu dri pherfformiad, o bosib. Mi dddywedodd y cyswllt o'r Cyngor Prydeinig mai rhyw daith arbrofol oedd hi, ac os fyddai popeth yn mynd yn hwylus, byddai taith hwy yn Ne America yn y dyfodol. Doedd dim i'w golli felly a threfnwyd i fynd ddiwedd Tachwedd. Mi wnes i feddwl ar y pryd, gan mai yn Ne America oedd y daith, y byddai'n wanwyn braf, ond wrth gwrs mae Ecuador ar y cyhydedd a Cholombia yn agos iawn i'r cyhydedd, ac felly gwlyb neu sych yw'r tymhorau ac mae mis Tachwedd yn un o'r misoedd gwlyb yng Ngholombia.

Roeddem yn hedfan i Quito, prifddinas Ecuador i ddechrau, ac roedd hedfan i'r maes awyr yn ddramatig dros ben. Mae Quito fel ei bod yng nghanol rhyw fowlen o fynyddoedd, yn nythu yn

109

uchel yn yr Andes, ychydig dros 9,000 o droedfeddi uwchben lefel y môr. Yn naturiol roedd rhaid cael cwpl o oriau o gwsg i'r ysgyfaint arfer efo'r uchder, ac roedd angen digon o amser i baratoi ar gyfer y cyngerdd yn yr Auditorio Las Cameras. Roedd o'n achlysur eitha ffurfiol gyda rhaglen wedi ei pharatoi oedd yn nodi pob eitem yn y set yn Sbaeneg, gydag eglurhad bach ar bob un. Doedd dim llawer o gyfle fel arall i weld y ddinas, dim ond cyfle i brynu ambell *souvenir* gan werthwyr ifanc iawn ar y stryd, fel sgarffiau amryliw traddodiadol, neu ryw *aftershave* enwog, ond amheus yr olwg, gyda chamsillafiadau bach dadlennol! Hwn oedd fy mhrofiad cyntaf o Dde America, ac roedd hi'n amlwg fod cyfoeth sylweddol yn Quito. Ond beth oedd yn fy nharo i fwyaf oedd y tlodi anferthol, gyda phlant yn begera, yn byw ochr yn ochr â chyfoeth y busnesau olew, ac yn amlach na pheidio, yr Indiaid brodorol oedd i weld yn dioddef fwyaf.

Pan gyrhaeddon ni Bogotá roedd hoel llifogydd ar hyd y strydoedd. Ond diolch byth, roedd y cyswllt wedi dod i'n nôl ni o'r maes awyr mewn Land Rover. Daeth hi'n amlwg fod pob math o gerrig a sgrwbaits wedi cael ei gario i lawr o'r mynyddoedd ac wedi chwalu'r rhan fwyaf o'r strydoedd. Cyn i ni gychwyn am Dde America y flwyddyn honno roedd hanes wedi bod yn y newyddion am losgfynydd Nevado Del Ruiz yn ffrwydro a thros 20,000 o drigolion Armero, sef y pentref cyfagos, wedi colli eu bywydau. Roedd yna amheuaeth a oedd y daith am fynd yn ei blaen o gwbl, ond wedi cadarnhau fod Bogotá yn iawn, daeth sôn am gynnal cyngherddau ychwanegol i godi arian yn sgil y trychineb. Cawsom ddau gyngerdd yn y diwedd, un ffurfiol iawn, yn y neuadd gyngerdd yn y Biblioteca Luis-Angel Arango, a'r llall yn weddol anffurfiol. Un peth oedd yn taro rhywun yn Bogotá, yn wahanol iawn i Quito, oedd fod gwarchodwyr arfog y tu allan i'r gwesty yn gyson. Roedd sefyllfa diogelwch Colombia yn hollol wahanol i Ecuador, ac roeddem yn derbyn rhybuddion cyson i fod yn wyliadwrus, yn enwedig os oeddem am fentro i lawr i ganol y dre. Herwgipio oedd y bygythiad mwyaf, ac yna gofyn am bridwerth, a gorllewinwyr fyddai'r targed fel arfer.

Erbyn 1987, pan oedd y daith o fis yn Ne America efo Ar Log a'r criw ffilmio ar y gweill a Paul, Iolo a fi ar ein taith *recce*, roeddem yn llawer mwy cyfarwydd â'r drefn, yr arferion a'r iaith yn Ne America, ac roedd Quito yn ymddangos yn llawer mwy Americanaidd na Lima neu Santiago. Roedd y rheolau ynglŷn â ffilmio a'r fiwrocratiaeth yn Ecuador hefyd yn llawer mwy llym na'r gwledydd eraill. Rhaid oedd trefnu ernes o $10,000 rhag ofn bod unrhyw beth yn y rhaglen ddogfen yn enllibio'r wlad mewn unrhyw ffordd, ac roedd rhaid talu am dechnegydd lleol, wedi ei gymeradwyo gan y llywodraeth, i fod gyda'r criw ffilmio drwy'r adeg. Diolch byth, roedd Martha, un o weithwyr y Cyngor Prydeinig yn Quito yn sortio'r rhan fwyaf o'r gwaith papur i ni. Chwarae teg hefyd, roedd criw'r Cyngor Prydeinig wedi trefnu i ni weld ychydig o grwpiau traddodiadol ar gyfer y ffilmio ym mis Tachwedd, ac fe aethom i bentref bach Peguche i weld un ohonynt. Roedd yna bistyll enwog ar gyrion y pentref ac, wrth gwrs, roedd rhaid croesi'r cyhydedd ar y ffordd. Mae pentrefi Ecuador wedi gwneud y mwyaf o'r cyhydedd ac roedd un pentref wedi gosod stribed o haearn tew yn y llawr yn rhedeg drwy'r pentref, cofgolofnau a phob math o *souvenirs* i ymwelwyr. Ond erbyn dallt, ar ôl dyfodiad GPS, mae'n ymddangos fod y llinell tua 250 llath allan ohoni! Roedd hi'n amlwg fod Ecuador hefyd wedi cael mantais fawr o arian Americanaidd, gan fod cwmnïau enfawr fel Shell wedi buddsoddi'n helaeth yn y wlad oherwydd y cyfoeth o olew oedd yno. Mae'n bosib mai dyna pam roedd y fiwrocratiaeth wedi ei llyffetheirio hefyd. Ar ôl trefnu popeth, roedd y tri ohonom wedi dechrau teimlo'n sâl braidd, ac yn dioddef o'r hen *Inca quickstep* a chur pen. Roeddem wedi bod yn cymryd tabledi yn erbyn malaria ar hyd y daith, ond roedd ein cyfeillion yn Cuzco ym Mheriw wedi awgrymu y dylem beidio gan eu bod yn achosi cur pen, ac ar ben hynny, doedd dim mosgitos i'w cael ar yr uchder hwn beth bynnag. Ar ôl gorffwys am dipyn, yfed digon o ddŵr a thaflu'r tabledi malaria, mi wellodd y tri ohonom yn rhyfeddol.

Doedd y *flight* o Quito i Bogotá ddim yn hir iawn, ond roedd y newid yn y dirwedd yn amlwg. Roedd hi'n llawer mwy 'gwyrdd' yng Ngholombia nag yn Ecuador, mwy trofannol mae'n siŵr, wrth i lethrau isa'r Andes ymdoddi i wastadoedd Venezuela. O ran y rhaglen ddogfen, y bwriad yng Ngholombia, ar wahân i drefnu'r ffilmio yn y neuaddau ble roedd Ar Log yn perfformio, oedd darganfod ysgolion cerdd oedd yn arbenigo ar gerddoriaeth *Joropo*, sef cerddoriaeth gwastadoedd y *Los Llaños*, ac ysgolion oedd yn rhoi gwersi telyn yn null telynau gwastadoedd Colombia a Venezuela. Cawsom groeso mawr gan berchennog y gwesty oedd yn ein cofio ers ymweliad Ar Log ddwy flynedd ynghynt, ac mi drefnodd Iolo gyfarfod ffrindiau yno. Y bore wedyn, ar ôl llogi car, fe ddreifion ni i Tunja, sef dinas tua 90 milltir i'r gogledd o Bogotá, gan mai yno oedd y Coleg Cerdd. Bu'n siwrne annifyr, gyda lorïau yn meddiannu'r ffordd i gyd, i fyny ac i lawr y mynyddoedd – tua deg lori i bob un car, a'r lorïau yn mynnu pasio ei gilydd ar y gelltydd, waeth beth oedd yn dod i'w cwrdd y ffordd arall. Gan amlaf, y ni mewn car bach oedd yn dod y ffordd arall!

Lle digon od oedd Tunja, ac roedd rhyw deimlad go anghyffforddus, neu annifyr yno o ran diogelwch – rhyw deimlad na allwn roi fy mys arno'n iawn. Roedd hyn yn wir am Golombia yn gyffredinol i ddweud gwir, yn enwedig o gymharu ag Ecuador, ond wedi dweud hynny, fe gawsom groeso cynnes iawn gan Bennaeth y Coleg Cerdd yno, a'r athrawon eraill oedd yn barod iawn i drefnu grŵp traddodiadol ar gyfer y ffilmio ym mis Tachwedd. Fodd bynnag, roedd y siwrne'n ôl yn waeth byth gan ei bod bellach wedi nosi a bron yn amhosib dweud os oedd y lorïau a'u goleuadau, a oedd yn dod i'n cyfarfod ar y gelltydd troellog a'r ochrau serth, ar yr ochr iawn i'r ffordd neu ar ein hochr ni! Roedd hi'n siwrne hollol hunllefus, ac roeddem mor falch o ddychwelyd i Bogotá yn ddiogel heb unrhyw ddamwain. Fe drefnodd Iolo wedyn i ni fynd lawr i'r ddinas i gyfarfod ei ffrindiau Dora a'i chwaer

Judit. Roedd ffrind Judit yn chwarae mewn grŵp traddodiadol America Ladin mewn clwb, ac fe gawsom wersi dawnsio *salsa* drwy'r nos. Dwi ddim yn siŵr ai rhyddhad o gyrraedd yn ôl yn saff i Bogotá, rhythmau'r gerddoriaeth hudolus, hypnotig neu'r *aguardiente* (dŵr tanllyd) oedd yn gyfrifol, ond roedd hi'n noson i'w chofio!

***

Pan ddychwelon ni i Dde America ar daith Ar Log ym mis Tachwedd 1987 efo'r criw ffilmio, roedd cyrraedd Ecuador yn golygu ein bod hanner ffordd drwy'r mis o daith. Roeddem wedi gorfod hedfan diwrnod yn gynt o Lima am ryw reswm, ond roedd hynny'n golygu ein bod yn cael diwrnod ychwanegol yn Quito i ymlacio ychydig, neu dyna oeddem yn ei gredu. Pan gyrhaeddon, roedd y cynlluniau wedi newid rhywfaint, ac roedd rhaid i Ar Log hedfan yn syth i Cuenca – rhyw 300 milltir i'r de o Quito, felly taith o ddim ond rhyw hanner awr oedd hi. Roedd Cuenca yn ddinas fach ddymunol iawn, yn drefedigaethol Sbaenaidd ond eto gyda nifer o nodweddion ac adfeilion yr Inca, gan ei bod yn ne'r wlad ac yn agos at Beriw. Roedd y cyngerdd i'w weld yn cael llawer o gyhoeddusrwydd o gwmpas y ddinas, a'r neuadd yn ôl pob sôn yn dal tua 1,000 o bobl. Aeth y cyngerdd yn arbennig o dda, er i mi boeni am wneud dawns y glocsen, gan fod Cuenca tua 8,000 o droedfeddi uwchben y môr ac unrhyw ymdrech ychwanegol yn gwneud yr anadlu yn anodd.

Dyma hedfan yn ôl i Quito wedyn ar gyfer cyngerdd yno, ond y tro hwn roedd y trefnwyr wedi paratoi potel ocsigen i mi yng nghefn y llwyfan i'w gymryd ar ôl perfformio dawns y glocsen gan fod Quito dros 9,000 o droedfeddi a'r awyr dipyn yn deneuach wedyn. Mae rhywun yn dallt rŵan pam fod nifer o dimau chwaraeon proffesiynol yn hyfforddi ar uchder. Ar ôl y cyngerdd aeth Iolo, Jan (y cynorthwy-ydd cynhyrchu) a minnau i'r casino yn y gwesty, ac fe roddodd Jan tua 200 o Sucres (yr arian lleol) ar y rhif 0. Dyma'r *croupiere* yn taflu'r bêl fach i mewn i'r olwyn, a phan arafodd yr olwyn dyma ni'n tri yn gweld fod y bêl wedi glanio ar 0! Neidiodd Jan i fyny ac i lawr – roedd y bet yn werth 35:1, felly roedd hi wedi ennill 7,000 Sucres! Ond ar ôl pwyllo 'chydig dyma wneud synnwyr o'r raddfa gyfnewid a sylwi mai dim ond tua £20 oedd hynny! Erbyn hyn mae Ecuador yn defnyddio'r Ddoler Americanaidd gan fod y chwyddiant wedi chwalu'r Sucres erbyn diwedd yr 80au!

Pan gyrhaeddon ni Bogotá yng Ngholombia, roedd saith o'n *cases* ni heb gyrraedd ac yn dal ym maes awyr Quito. Diolch byth, roedd yr offerynnau a'r offer yn iawn a dim ond y bagiau dillad oedd ar goll. Doedd dal ddim golwg o fag dillad Geraint chwaith, oedd wedi bod ar goll ers i ni gyrraedd Santiago yn Chile ar ddechrau'r daith. Yn ôl y swyddogion, byddai'r bagiau dillad yn cyrraedd mewn rhyw ddiwrnod neu ddau. Ond gan ein bod yn hedfan yn syth i Cali ac yna i'r gogledd i Barranquilla ar arfordir y Caribî, roedd rhaid ceisio cael dillad addas i'r tymheredd llethol fyddai'n ein disgwyl yno. Aeth popeth yn iawn yn Cali, er yn boeth iawn yno, ond roedd Barranquilla wir yn llethol. Diolch byth roedd y neuadd a'r gwesty i gyd wedi eu hawyru, ac ar ôl bod ar uchder ers dros wythnos, roedd dawns y glocsen yn hawdd iawn i lawr ar lefel y môr. Ar ôl y cyngerdd daeth gŵr o'r enw Roland Hughes atom. Hwn oedd un o feibion y diweddar Howell Hughes a Mrs Hughes Bogotá, fel y'u gelwir, oedd yn byw ym Mhorthaethwy. Roeddwn wedi cyfarfod Mrs Hughes yn ei chartref yn Nrws y Coed yn y Borth efo Rene Griffiths yn ystod y sioe *Harping Around* yn y 70au. Roedd Roland yn byw yn Barranquilla ers blynyddoedd ac roedd ei frawd, David, yn byw yn Honda ger Armero ble bu'r trychineb gyda'r llosgfynydd ddwy flynedd ynghynt pan oeddem draw yng Ngholombia. Eu chwaer oedd Teleri, a bu nifer o hanesion yn y wasg am hanes Teleri yn cael ei herwgipio gan derfysgwyr yng Ngholombia. Roedd hi'n hawdd dallt hyn ar ôl bod yn Cali a Barranquilla. Roedd diogelwch yn bryder cyson a chawsom ein rhybuddio yn aml i beidio â chrwydro ar ben ein hunain, oherwydd y risg o gael ein herwgipio, ac mae'n bosib iawn mai dyma oedd yng nghefn fy meddwl pan es i Tunja yn gynharach yn y flwyddyn. Aeth Roland â ni am swper ar ôl y cyngerdd a dwi'n cofio cerdded allan o'r bwyty, oedd wedi ei awyru, am hanner nos, ac roedd o fel cerdded i mewn i ffwrnais!

Pan ddychwelon ni i Bogotá, roedd y bagiau dillad wedi cyrraedd o Quito, diolch byth, ond roedd bag Geraint yn dal ar goll! Roedd o wedi gobeithio gallu gwisgo ei ddillad ei hun am yr wythnos olaf o leiaf, yn hytrach na benthyg gan bawb arall! Mewn theatr enfawr yn Bogotá, sef y Teatro Colsubsidio, roedd y ddau gyngerdd olaf, ac roedd yr adnoddau yn benigamp ac felly nid oedd angen neilltuo oriau i osod offer. Ar ôl y cyngerdd olaf, daeth gŵr o'r enw Alan atom, sef nai Roland Hughes ac ŵyr Howell Hughes. Roedd yn byw ar *ranch* yn Honda, i lawr yng nghwm y Rio Magdalena ger Armero gyda'i rieni David a Betty, a gwahoddodd ni i'w *ranch* am gwpl o ddiwrnodiau. Digwydd bod, roedd gennym ddeuddydd yn rhydd cyn y *flight* yn ôl i Lundain, felly fe dderbyniwyd y gwahoddiad. Dyma fynd y bore canlynol i faes awyr bach yn Bogotá, rhyw fath o glwb hedfan. Yno, mewn awyren fach chwe sedd, roedd Alan ac Alphonso, ei gyfaill, ac erbyn dallt, Alan oedd y peilot. Dim ond Gwyndaf, Stephen a fi oedd am fynd lawr i'r *ranch*, efo ychydig o offerynnau. Doedd Geraint ddim yn rhy hoff o awyrennau bach, ac roedd Iolo wedi mynd i gyfarfod ei ffrindiau Dora a Judit. Roedd y *flight* yn anhygoel – i lawr o Bogotá, sydd tua 8,500 o droedfeddi yn yr Andes, i gwm y Rio Magdalena, a glanio yn y *ranch* ar ryw stribyn o wair. Yn amlwg roedd hedfan fel hyn yn rhywbeth eithaf naturiol i'r teulu. Cawsom groeso bendigedig gan y teulu, a buom yn chwarae ychydig o gerddoriaeth yn y pnawn, a mynd am dro ar gefn ceffylau o gwmpas y *ranch*. Doedd Stephen erioed wedi bod ar gefn ceffyl o'r blaen, ac felly cafodd geffyl 'distaw' (meddan nhw). Cawsom het cowboi bob un ac i ffwrdd â ni. Roedd y marchogaeth yn wefreiddiol – carlamu ar hyd llwybrau bach trwy'r cwm i sŵn *parakeets* yn y coed, ac yna stopio i bigo leimiau a mangos oddi ar y coed. Ar ôl awr a hanner gofynnais i Alan pa mor fawr oedd y *ranch*? Ac medda fo: 'Wel, dwi wedi bod ar goll yma fy hun unwaith ar gefn ceffyl am dridiau!'

Roedd cysgu'r noson honno bron yn amhosib. Roeddem yn y *tropics* go iawn. Sŵn criciaid ac adar y nos, a chwilod duon anferth a madfallod ar y net tu allan i'r ffenest – doedd dim gwydr. Roeddwn wedi sôn wrth Alan fy mod wedi mwynhau'r *flight* i lawr yn yr awyren fach, ac fe ddywedodd fod gwraig ei gyfaill Alphonso yn cael gwersi hedfan ac am lanio y diwrnod canlynol mewn awyren fach gyda'r hyfforddwr, a bod croeso i mi fynd yn ôl i Bogotá efo'r hyfforddwr. Roeddwn wrth fy modd, a methu disgwyl tan y bore. Fe gyrhaeddodd gwraig Alphonso a'r hyfforddwr, Rudolph, y bore wedyn. Yna cychwynnodd Rudolph a mi yn yr awyren fach, sef Cessna 2 sedd, yn ôl am Bogotá. Roedd dau lyw, ac ar ôl hedfan am ryw 5 munud, dyma Rudolph yn dweud:

'Now you take over!'

Doedd gen i ddim syniad beth i wneud, a dyma fo'n dangos beth oedd popeth o'n blaenau yn ei wneud. Fe wnaethom *nosedive*, dringo, bancio, ac roedd fy mol yn gwneud *loop de loop*.

Mi wnes i hedfan yr awyren wedyn am ryw chwarter awr nes oedd rhaid dod o hyd i dwll yn y cwmwl. Roedd hyn yn brofiad hollol anhygoel, er roeddwn yn poeni'n dragywydd y byddwn yn gwneud rhywbeth fyddai'n *stallio*'r injan. Roedd yr *altimeter* yn dangos ein bod bellach wedi dringo i tua 10,000 o droedfeddi, ac felly roeddem uwchben Bogotá yn rhywle. Fe welodd Rudolph dwll yn y cwmwl, ac fe reolodd y llyw a bancio am y twll. Pan ddaethom allan o'r cwmwl, roedd copaon yr Andes mor agos byswn bron wedi medru crafu'r eira gyda 'ngewinedd! Aethom i lawr i Bogotá ac anelu am y maes awyr bychan, ac wrth i ni ddisgyn yn raddol, meddai Rudolph:

'I haven't flown one of these planes for over 4 years!'

Doeddwn i ddim yn teimlo mod i angen gwybod hynny ar y pryd. Wrth nesáu at y llain glanio, sylweddolais fod Rudolph yn anelu'r awyren i'r chwith o'r llain. Wnes i ddim dweud dim, ond yn sydyn dyma ni'n glanio ar y gwair gyda bwmp neu ddau, ar hyd ochr y llain glanio. Ar ôl dod i stop, gofynnais i Rudolph pam nad oedd o wedi glanio ar y tarmac, a medda fo:

'I don't like to land on the runway, it wears the tyres down you know!'

A dyna ni, roedd y daith i Dde America ar ben, a doedd y *flight* yn ôl i Brydain ddim yn wahanol iawn i'r lleill gan i ni gael ambell i broblem a thrafferth bob hyn a hyn. Roeddem wedi hedfan 17 gwaith mewn mis, felly ar y cyfan roedd popeth wedi mynd yn wyrthiol o dda. Ond, roedd un tro yn y gynffon eto i ddod. Roeddem yn hedfan i Baris yn gyntaf, ac yna ymlaen i Heathrow. Fe gyrhaeddon ni Baris yn hwyr a cholli'r cysylltiad i Lundain, a phan lwyddon ni i gael y *flight* nesa, doedd yr un peth ddim yn wir am yr offerynnau. Rhaid oedd disgwyl yn Heathrow amdanynt, ac yna, ar ôl i'r offer gyrraedd, dyma swyddogion y tollau yn gofyn i ni o ble yr oeddem wedi dod.

'Paris' meddwn ni.

'And where before that?'

Roeddynt yn gwybod yn iawn, wrth gwrs, ein bod wedi teithio o Bogotá. Grŵp o gerddorion gyda chesys mawr, bob siâp yn cyrraedd o un o brif ganolfannau cyffuriau'r byd – roeddynt yn methu credu eu lwc. Fe ofynnon nhw i Iolo agor ei fag dillad, ac wrth wneud dyma glwstwr o ddail yn neidio allan. Roeddynt ar ben eu digon. Fe aethpwyd â ni i gyd ar wahân i wahanol ystafelloedd i agor bob ces, pob bag a gwagio popeth yn y bagiau 'molchi, gan gynnwys y tiwb past dannedd. Roedd ces y delyn gen i yn llawn ffa coffi, ac ar ôl ei agor roedd y neuadd dollau yn llawn o aroglau coffi hyfryd. Ond yna, roedd rhaid tynnu ein dillad, a phan ddaeth y menig rwber allan, roeddem yn gwybod beth oedd yn dod. Chwarae teg, roeddynt yn hynod o gwrtais, ond doedd o ddim yn brofiad pleserus. Yn y diwedd fe gawsom fynd. Dim ond ychydig o berlysiau oedd gan Iolo yn ei fag – wedi eu cael gan Dora, ei ffrind, er mwyn coginio bwyd traddodiadol Colombaidd. Ar ôl cyrraedd Caerdydd, ac adrodd yr hanes wrth Siân, mi estynnais yr emrallt yr oeddwn wedi ei brynu iddi hi yn Bogotá. Mi fethodd swyddogion y tollau ddod o hyd i hwnnw!

Cymru 4

ROEDD HUW WILLIAMS, perchennog y tŷ yr oeddem yn ei brynu uwchben Cwm-y-glo ar ffordd Clegir, sef yr hen ffordd gefn rhwng Llanrug a Llanberis, eisiau symud i Gaerdydd. Felly fe drefnon ni ei fod o yn prynu ein tŷ ni yn Nhreganna a ninnau ei dŷ o yn Bwlch. Doedd dim cwmnïau prynu a gwerthu tai yn rhan o'r broses felly, ac roedd y cwbl yn ddryslyd iawn i'r cyfreithiwr. Ond ar y diwrnod cyfnewid, daeth Huw i lawr gyda'i ddodrefn i gyd i'n tŷ ni yng Nghaerdydd, gwagio'r lori ar y palmant, ac yna fe lwython ni ein dodrefn ni i'r un lori, llogi lori arall ar gyfer gweddill y geriach, a chychwyn am y gogledd. Aeth Siân yn ei char, a minnau yn gyrru'r lori oedd wedi ei llogi, ond roedd gen i rywbeth arall i'w godi ar y ffordd. Roedd perthynas i Nansi Richards, a hen gyfaill i ni o'r enw Iona Trevor Jones hefyd yn gadael ei thŷ, sef Plas Trelydan ger y Trallwng, ac angen dod o hyd i gartref newydd i ambell ddodrefnyn. Roedd un cwpwrdd arbennig iawn roedd Iona yn awyddus iawn i mi edrych ar ei ôl, sef hen gwpwrdd tridarn o'r ddeunawfed ganrif oedd, yn ôl yr hanes, yn perthyn ar un adeg i Dafydd y Garreg Wen. Sut yn y byd yr oeddwn i'n gallu gwrthod felly? Ar ôl ei godi ar y ffordd, fe ddadlwythwyd y cwbl i'r tŷ newydd yn Bwlch, ac yna cychwynon ni'n dau ar siwrne i ben arall y byd. Wrth newid swyddi roedd Siân a fi wedi llwyddo i gael diwedd Awst a mis Medi i gyd yn rhydd, cyn cychwyn gweithio ym mis Hydref. Rhoddodd hyn gyfle i gael bythefnos o wyliau gydag Elis a Mei yn ne Ffrainc ac yna mis yn Seland Newydd a Singapore.

118

Roedd dychwelyd wedyn i ardal Llanrug a Llanberis yn golygu llawer i mi gan mai ym Mhenisa'r-waun y cafodd Dad ei fagu, a daeth sawl un o'r trigolion atom ym mhentref Llanrug i ddweud eu bod yn cofio nhad a'r teulu yn eu cartref yn Taicroesion, a brawd Dad yn gyrru'r trên yn y chwarel ac yn chwarae yn y gôl i dîm pêl droed Llanberis. Roedd yna rywbeth braf iawn am hyn, rhyw deimlad ein bod yn perthyn, a dwi'n sicr fod y cysylltiad teuluol wedi bod yn ffactor wrth i ni dderbyn croeso cynnes i'r ardal.

Ar ôl saith mlynedd yn y BBC, ble roedd y fiwrocratiaeth wedi dechrau mynd yn fwrn erbyn diwedd yr 80au, roedd gweithio i gwmni teledu annibynnol Cymraeg yn braf iawn. Cefais rhwydd hynt gan Wil Aaron o Ffilmiau'r Nant i gynhyrchu cyfres newydd yn Gymraeg i S4C yn seiliedig ar yr hen gyfres *Starshot*. Roeddwn yn cofio gwylio hon ar y BBC ers talwm gyda gwesteion fel Suzie Quatro a Jackie Stewart yn cymryd rhan. Cystadleuaeth saethu oedd hi gyda thimau *pro-celeb* yn saethu clai yn erbyn targed anferth, i gyd wedi ei oleuo'n drawiadol yn y nos. Gŵr camera o'r enw David Maxwell o'r Alban, ond o gefndir byd y ffeiriau, oedd wedi dyfeisio'r gêm, ac roedd rhaid llogi'r offer a thrwyddedu'r gêm ganddo. Oherwydd bod y *shot* yn cael ei saethu dan lif oleuadau, a bod *shot* yn derm yn y diwydiant ffilm, a chan fod ennill yn aml yn ddibynnol ar y *shot* olaf yn y gêm, daeth yr enw 'Shotolau' wrth i mi sgriblo'r geiriau ar ddarn o bapur. Roedd diogelwch yn hollbwysig, wrth gwrs, ac roedd rhaid cael cyfnod o hyfforddi i'r *celebs*, ond yn gyntaf roedd rhaid dod o hyd i rai oedd nid yn unig yn fodlon cymryd rhan, ond oedd o leiaf yn gallu dal gwn. Wrth i'r gyfres ddod yn fwy poblogaidd roedd ambell *celeb* yn gofyn am gael cymryd rhan, ond hyd yn oed ar ôl hyfforddiant dwys, roedd ambell un yn beryg bywyd efo gwn! Y gorau o'r saethwyr amatur yn ddi-os oedd y diweddar Gerallt Lloyd Owen, ac wedi iddo ennill sawl cyfres, yn y diwedd doedd dim dewis ond ei roi fel meuryn y gystadleuaeth i olynu'r diweddar Moc Morgan. Dwi'n credu i mi gynhyrchu 6 cyfres i gyd, ac fe gefais hyfforddiant saethu fy hun gan yr arbenigwyr, a mwynhau'r profiad yn fawr. Fe ddatblygais berthynas weithio dda gyda David Maxwell, cymaint felly nes iddo fy ngwahodd i Los Angeles i gyfarwyddo cyfres yno i rwydwaith cebl ESPN gyda *pro-celebs* Americanaidd. Roedd rhai o'r *celebs*, fodd bynnag, yn drychinebus, a dim ond yn cymryd rhan oherwydd eu poblogrwydd. Un o'r *celebs* mwyaf adnabyddus gafwyd ar y rhaglen oedd David Hasselhoff, ond fiw i mi ddweud sut saethwr oedd o!

***

Ar ôl setlo yn ein cartref newydd fe benderfynodd Siân a mi briodi yn Ebrill 1991, gan wahodd criw bychan o ffrindiau a theulu i'r seremoni yn Swyddfa Gofrestru Caernarfon a Gwasanaeth Bendithio yn Eglwys Sant Mihangel, Llanrug, cyn cael neithior a noson fendigedig gyda llu o ffrindiau yn y Bistro, Llanberis. Er bod salwch Dad wedi gwaethygu rhywfaint, roeddwn mor falch ei fod wedi llwyddo i gymryd rhan yn y gwasanaeth yn hen Eglwys Sant Mihangel yn Llanrug, ac i ddod i'r neithior, ond roedd hi'n amlwg y byddai angen mwy o ofal cyn bo hir. Ein prif dyston yn y briodas oedd un o ffrindiau gorau Siân o'r coleg, sef Wendy Henderson (née Griffiths) o Fynachlog Ddu, a'i gŵr, Robin o'r Alban – y ddau yn gerddorion o fri a Robin yn ddewin ar y ffidil. Mae gen i gof o Robin ac Iolo yn cael be fyddai'n cael ei alw heddiw yn *fiddle-off*, a cherddoriaeth o bob math yn llenwi'r lle tan tua pedwar o'r gloch y bore!

Ar ôl tua blwyddyn, roedd dementia Dad wedi gwaethygu, ac roeddem eisoes wedi gorfod gwneud penderfyniadau anodd, fel symud y stof drydan o'r tŷ, ac er ceisio gofalu amdano yn ein tŷ ni dros nos a chael lle mewn cartref yn ystod y dydd, roedd hi'n amlwg yn y diwedd ei fod angen gofal nyrsio 24 awr ac asesiad seicolegol. Mae ceisio gohirio penderfyniadau fel hyn yn siŵr o fod yn rhywbeth cyffredin i nifer o deuluoedd, ond dwi'n siŵr y byddent hefyd yn tystio mai camgymeriad yw hynny yn y diwedd. Cael a chael oedd hi yn ein hachos ni i gael trefn ar bopeth yn ariannol a chyfreithiol ac felly i osgoi unrhyw gymhlethdodau hirwyntog gyda phrofiant yn hwyrach ymlaen. Fe lwyddon ni yn y diwedd i gael cartref nyrsio i Dad ger Biwmares, a rhaid cyfaddef nad oeddem yn hollol hapus gyda'r cyfleusterau a'r gofal, ond roedd y dewisiadau yn gyfyngedig iawn. Roedd rhaid gwerthu tŷ Dad hefyd yn Llanfairpwll er mwyn talu am gost y cartref nyrsio. Dwi'n credu fod y rheolau ynglŷn â gofal wedi newid ychydig erbyn hyn ond dwi'n siŵr nad y ni yw'r unig rai sydd wedi teimlo rhwystredigaeth fel hyn.

Roedd gwaith wedi dechrau cynyddu i mi hefyd ar raglenni i Ffilmiau'r Nant, a chyfarwyddo *Hel Straeon* yn y stiwdio, ac roeddwn yn gyfrifol am ambell raglen ddogfen arbennig dramor. Daeth gwaith hefyd yn cyfarwyddo i gwmni Tir Glas ar gyfresi megis *Nos Sadwrn* a *Noson Lawen*, a chyn bo hir roedd hi'n amlwg y byddai'n well i mi fod yn llawrydd, gan fod gymaint o gynyrchiadau yn chwilio am gyfarwyddwr aml-gamera. Roeddwn yn parhau i gael gwaith gan y BBC hefyd ar *Plant Mewn Angen* a rhaglenni'r Eisteddfod Genedlaethol, ac yn cyfarwyddo i gwmnïau annibynnol eraill oedd yn gyfrifol am raglenni'r Sioe Fawr, Eisteddfod yr Urdd a chyfresi *Dechrau Canu, Dechrau Canmol*. Wrth gyfarwyddo'r rhaglen fyw olaf o'r Eisteddfod Genedlaethol yn yr Wyddgrug, fodd bynnag, cefais un arall o'r pyliau llewygu. Er nad oeddynt yn para yn hir – rhyw 9 neu 10 o eiliadau ar gyfartaledd – roedd yr effaith wedyn yn llawer hirach, nid yn unig o ran blinder, ond o ran hyder hefyd. Hwn oedd yr achlysur cyntaf i hyn ddigwydd ers tua phedair blynedd, ond roeddwn yn dechrau poeni ychydig os oedd yr achlysuron yn dechrau dod yn fwy aml, ac eto doedd dim yn dangos mewn unrhyw archwiliad.

Ar ôl cychwyn cyfarwyddo un gyfres i gwmni Tir Glas o'r enw *Pen-blwydd Hapus*, cafodd cynhyrchydd y gyfres a phennaeth y cwmni, Huw Jones, ei benodi yn Brif Weithredwr S4C. Yn amlwg felly roedd rhaid i Huw roi'r gorau i'w berthynas gydag unrhyw gwmni cynhyrchu, a gan mai Siân oedd wedi bod yn is-gynhyrchydd ar y gyfres a minnau yn gyfarwyddwr, daeth cyfle i'r ddau ohonom ystyried parhau gyda'r gyfres drwy ffurfio cwmni cynhyrchu ein hunain, prynu adnoddau cwmni Teledu Tir Glas a throsglwyddo unrhyw gyfrifoldebau cytundebol o ran staff ac adeilad i'n cwmni newydd. Roedd yn benderfyniad mawr, ond fel dywed y Sais 'A faint heart never kissed a pig', ac felly dyma benderfynu ffurfio cwmni cynhyrchu annibynnol, Gwdihŵ.

Roedd sawl rheswm dros ddewis yr enw. Roedd Siân a minnau yn byw uwchben yr enwog 'Llwyncoed, Cwm-y-Glo', a'r tylluanod yn gyfeiliant i'r nosweithiau yn aml. Roeddem yn gweithio yn ystod y nos yn aml hefyd, a'r cwmni wedi ymgartrefu yn nyth rhywun arall. Bu Ffilmiau'r Nant yn hael iawn eu cefnogaeth hefyd gyda'n menter ac roedd hi mor braf fod cymaint o gydweithio a chyd-dynnu rhwng cwmnïau teledu annibynnol bryd hynny. Er ei fod yn gam mawr i'w gymryd, am ryw reswm doeddwn i ddim yn teimlo'n bryderus. Hwn oedd y tro cyntaf i mi fod yn gyfarwyddwr ar gwmni, ac roedd yr holl broses yn teimlo'n gyffrous iawn. Roedd Siân hefyd yn disgwyl ein plentyn cyntaf yn fuan ar ôl sefydlu'r cwmni, a phan aned Heledd Anna ym mis Ionawr '94, roedd dipyn o jyglo i'w wneud. Roeddwn mor falch ein bod wedi cael hogan fach, ac roedd Elis a Mei hefyd wrth eu bodd gyda'u chwaer fach. Yn anffodus ni chafodd Dad y cyfle i weld ei wyres fach newydd, gan iddo ein gadael ychydig fisoedd cyn hynny, yn 81 mlwydd oed. Ond mae'r parhad mewn teulu wastad yn rhyfeddu rhywun, a sut mae aelod newydd yn aml yn ymddangos yn fuan ar ôl i un arall ymadael, yn enwedig pan fo cymaint o nodweddion un yn cael ei amlygu yn y llall. Doedd ein hamseru wrth sefydlu'r cwmni ddim yn dda iawn, gan mai dim ond bythefnos o gyfnod mamolaeth gafodd Siân, cyn bod rhaid dod nôl i'r gyfres, ond buom yn ffodus iawn gyda merch ifanc leol o'r enw Caren, a deithiodd efo ni yn aml i edrych ar ôl Heledd tra roeddem yn ffilmio *Pen-blwydd Hapus* ar leoliad. Mae'n bosib iawn mai dyma gododd flys ar Heledd i deithio yn hwyrach, neu roedd o wedi ei etifeddu gennyf i. Pan oeddwn i yn Los Angeles yn cyfarwyddo *Starshot* cefais ffacs gan Siân gyda llun du a gwyn eitha aneglur, ond roedd y neges roedd y llun yn ei gyfleu yn hollol glir. Roedd babi arall ar y ffordd, a merch fach arall eto. Roeddwn wrth fy modd! Dau o hogia a rŵan dwy o genod – roeddwn wir yn teimlo mor lwcus.

Roedd ein teulu yn tyfu'n gyflym ac felly roedd rhaid meddwl am addasu'r tŷ. Tua phedair mis ar ddeg oedd am fod rhwng y genod, a'r hogia yn ddeuddeg ac un ar ddeg. Er bod y tŷ yn edrych yn weddol fawr o'r tu allan, oherwydd y waliau cerrig trwchus, roedd y tu mewn tipyn yn llai. Felly fe benderfynwyd adeiladu estyniad, ac ar ôl addasu sawl cynllun gyda'r pensaer, cyrhaeddodd y JCB i gychwyn ar y gwaith yr un diwrnod â'n merch fach newydd, Elain Siân. Hon oedd y bedwaredd enedigaeth i mi ei phrofi, ac mae'n edmygedd i o ferched a sut maen nhw'n dygymod â'r holl beth yn fawr. Mae pob tro yn brofiad emosiynol iawn, ac yn gefn i'r cwbl mae'r bydwragedd. Mae'r rhain yn frid ar wahân, yn gwbl broffesiynol, yn dawel hyderus a phwyllog. Rhiannon oedd y fydwraig oedd wedi bod efo Siân wrth eni Heledd ac Elain a hi oedd yr ysbrydoliaeth y tu ôl i'r rhaglenni wnes i fwynhau eu cyfarwyddo yn fwy nag unrhyw rai eraill. Siân oedd yn cynhyrchu a dwi'n credu fod y ffaith fod pâr priod yn gyfrifol am y ffilmio wedi bod o gymorth wrth i'r darpar rieni gytuno i rannu un o'u profiadau mwyaf preifat ac emosiynol gyda ni a'r camera. Rhiannon oedd y brif fydwraig yn y rhaglen gyntaf, sef *Llieiniau a Dŵr Poeth*, cyn i ni gychwyn y gyfres *Y Busnes Babis 'Ma* gyda bydwragedd o Ynys Môn, Arfon, Meirionnydd, Sir Drefaldwyn a Sir Gâr. Roeddwn wedi prynu camera proffesiynol ar gyfer y gyfres, ac roedd hwn yn agos at y gwely, gan y bu raid i mi fynd weithiau yn hwyr yn y nos i ffilmio'r genedigaethau pan fyddai'r alwad yn dod gan y bydwragedd. Roeddwn yn teimlo'n freintiedig iawn mod i'n cael bod yn bresennol yn ystod y geni a chael rhannu'r profiadau, ac yn ddiolchgar iawn i'r teuluoedd am ymddiried ynom ar adeg mor bersonol. Dwi'n credu i mi ffilmio un ar ddeg genedigaeth i gyd, gan gynnwys *cesarean*, efeilliaid, a genedigaeth mewn dŵr, er doeddwn i na'r fydwraig ddim yn disgwyl i'r gŵr fynd mewn i'r twb yn borcyn chwaith! Yn aml iawn pan fyddaf yn teithio o'r gogledd i'r de byddaf yn pasio ambell dŷ ble roeddwn wedi ffilmio un o'r genedigaethau ac yn meddwl tybed sut mae'r teulu erbyn hyn, gan fod y plant bellach dros eu hugain oed!

Pan ddaeth Elain Siân adref ar ddiwedd mis Mawrth 1995, roedd hi'n gychwyn ar un o'r hafau gorau i ni ei gael ers tro, oedd yn ffodus iawn i'r adeiladwyr ac i Caren oedd bellach yn helpu i edrych ar ôl y ddwy o'r genod yn ystod y dydd, tra bo Siân a minnau yn parhau i weithio ar gyfresi ein cwmni, Gwdihŵ. Roedd o'n gyfnod anodd iawn i Siân ac mae hyn yn un o anfanteision rhedeg eich cwmni eich hun – mae cyfnod mamolaeth neu dadolaeth yn mynd allan drwy'r ffenest.

Roedd y cyfnod hwn yn y diwydiant teledu yn un cynhyrchiol iawn i gwmnïau annibynnol, ac yn bwysig iawn hefyd, roedd yna strwythur hyfforddiant i dechnegwyr, ymchwilwyr, cyfarwyddwyr, ac yn y blaen. Roeddwn i, yn ffodus iawn, wedi cael hyfforddiant gan y BBC, ond bellach roedd y cyrsiau hynny yn diflannu oherwydd toriadau ariannol, ond roedd cwmni Cyfle wedi sefydlu ei hun fel y prif hyfforddwr yn y diwydiant yng Nghymru, ac roedd yn achrededig gan *Skillset*. Cefais wahoddiad i redeg y cwrs agoriadol i hyfforddeion Cyfle, ac er fy mod wedi rhoi'r gorau i'r syniad o fod yn athro yn eitha cyflym ar ddiwedd fy nghyfnod yn y coleg, roedd hwn yn apelio rhywsut. Roedd y cyrsiau yn para am tua 6 wythnos, ac yn cynnwys holl elfennau'r diwydiant, cyn bod yr hyfforddeion yn arbenigo yn eu meysydd dewisol. Roeddwn yn hynod o nerfus yn cyflwyno fy narlithoedd cyntaf, ac yn poeni nad oeddwn wedi paratoi digon o ddeunydd ar gyfer y diwrnod. Ond roedd yr amser yn hedfan, a'r hyfforddeion yn llawn brwdfrydedd. Roedd y rhan fwyaf yn ôl-raddedigion, a rhai wedi penderfynu newid gyrfa, ac wrth i'r wythnosau fynd heibio, roeddwn yn sylweddoli fy mod i yn dysgu cymaint, os nad mwy na'r hyfforddeion. Roeddwn yn mwynhau'r profiad yn fawr, ac yn dilyn y cyrsiau hyn cefais gais gan Cyfle am rai blynyddoedd wedyn i redeg rhai mwy arbenigol, rhai am wythnos, eraill am bythefnos, i gyfarwyddwyr, ymchwilwyr, cyflwynwyr a chynorthwywyr cynhyrchu. Rwy'n hynod ddiolchgar i Cyfle am y cyfle hwn, gan i'r profiad roi hyder i mi i gyflwyno'n gyhoeddus, rhywbeth doeddwn i wir ddim wedi gorfod gwneud rhyw lawer o'r blaen, hyd yn oed wrth deithio efo Ar Log. Cefais hefyd wahoddiad i fod yn asesydd NVQ i *Skillset* drwy Cyfle, a daeth sawl cyfle i asesu hyfforddeion yn yr Alban yn ogystal â Chymru. Daeth un cais i mi asesu hyfforddai ar ran *Skillset* ar leoliad ar arfordir Sir Benfro, gan fy mod i yn un o'r aseswyr 'yng Nghymru' – enghraifft berffaith o ddiffyg gwybodaeth ddaearyddol gan rywun mewn swyddfa yn Llundain!

***

Erbyn 1996 roedd hi'n amser meddwl am ddathlu ugain mlynedd efo Ar Log, ac er bod pawb bellach yn brysur gyda'u gyrfaoedd eu hunain, fe benderfynon ni recordio albym arall sef *Ar Log VI*, ond y tro hwn, cael cynhyrchydd allanol i'n cynorthwyo. Roedd y penderfyniad i ofyn i Myfyr Isaac yn un unfrydol, a mawr yw ein diolch iddo am dderbyn y cynnig. Roeddem hefyd yn awyddus i wahodd holl gyn-aelodau'r grŵp i gyfrannu i'r albym, ac oherwydd bod pawb ar chwâl, roedd cael Myfyr i ofalu am y trefniannau gymaint yn haws. Roedd defnyddio *sequencers* yn boblogaidd yn y 90au ac roeddem yn awyddus i arbrofi ychydig gyda'r rhain, a defnyddio mwy o ddrymiau a bas. Doeddwn i ddim wedi recordio efo Myfyr ers yr ail fersiwn o 'Dwylo Dros y Môr' yn 1990, ond roedd y profiad yr un mor bleserus. Roedd meistrolaeth Myfyr o dechnegau recordio yn gwneud popeth yn llawer haws, a'i syniadau ffres yn ein gwthio i gyfeiriadau na fydden ni wedi mentro iddynt o'r blaen. Fe drefnon ni ychydig o gyngherddau yng Nghymru i hyrwyddo'r albym, ac ambell un yn yr Alban, ond eto gan fod pawb bellach gyda gwaith fel arall roedd hi'n anodd cydlynu popeth. Mae yna drefniannau o ddwy gân ar yr albym dwi'n arbennig o hoff ohonynt, sef 'Mynwent Eglwys' a 'Myfanwy'. Fe ychwanegodd Siân lais ar 'Mynwent Eglwys' sy'n gwneud i'r gân swnio'n eitha ysbrydol a hudolus, yn enwedig gyda chyffyrddiadau Iolo ar y ffidil, ac er bod recordio 'Myfanwy' yn swnio fel *cliché* ar y pryd, dwi'n credu fod trefniant Myfyr ac Iolo wedi rhoi gwedd hollol wahanol i'r gân. Yn rhyfedd iawn, pan oedd Donny Osmond yn canu ym Mharc Cyfarthfa rai blynyddoedd yn ôl fe ddewisodd ganu ein trefniant ni yn union oddi ar albym *Ar Log VI* – mae'n rhaid ei fod wedi ei chlywed rhywsut ac wedi ei hoffi, ac mae hynny yn rhoi rhyw falchder i rywun.

Roedd diwedd y 90au yn gyfnod o newid mawr i gwmnïau cynhyrchu annibynnol yng Nghymru wrth i S4C baratoi ar gyfer sianel ddigidol gwbl annibynnol, ac yn rhydd o'r cysylltiad gyda Channel 4. Yn dilyn cyflwyniad yn Llandrindod gan staff S4C i'w cyflenwyr, gofynnodd S4C am gynlluniau manwl iawn gan y cwmnïau cynhyrchu annibynnol fyddai'n dangos sut oeddynt am gydweithio i arbed costau gweinyddol, beth oedd eu syniadau ar gyfer rhaglenni am tua thair blynedd, cynlluniau staffio, a chyllidebau manwl. Aeth y cwbl yn gystadleuol iawn rhwng y cwmnïau gan osod un yn erbyn y llall, ac ar ddiwedd y broses cyflwynwyd coedwigoedd o ddogfennau trwchus i S4C i gyd-fynd â'r gofynion, nad oedd posib iddynt eu darllen i gyd o fewn yr amserlen a gyflwynwyd. Collodd nifer o gwmnïau eu comisiynau, ond y drwg mwyaf yn fy marn i oedd bod S4C wedi colli'r ewyllys da oedd yna rhwng y cwmnïau annibynnol a'r sianel. Ar ôl wythnosau o waith, a chreu partneriaeth gyda chwmnïau eraill, dim ond y gyfres *Pen-blwydd Hapus* a gomisiynwyd gan ein cwmni ni, Gwdihŵ, sef yr union beth yr oeddem eisoes yn ei gynhyrchu. Roeddwn yn teimlo'n hynod siomedig a blin fod S4C wedi diystyru cymaint o arbenigedd oedd yn bodoli o fewn yr holl gwmnïau annibynnol. Erbyn 1999 penderfynodd S4C roi'r gorau i'r gyfres *Pen-blwydd Hapus* hefyd ac felly roedd rhaid i Siân a minnau benderfynu ar ddyfodol y cwmni. Roeddem wedi cychwyn cael comisiynau gan BBC Wales ac wedi bod yn cynhyrchu rhaglenni cerddoriaeth byw i Radio Cymru. Roedd hefyd ychydig o waith corfforaethol yn cyrraedd, ond roedd rhywbeth llawer pwysicach ar y ffordd. Ym mis Gorffennaf cafodd Math ei eni, yn frawd bach i Elis, Mei, Heledd ac Elain. Rhaid cyfaddef, doedd dyfodiad Math ddim yn gwbl ddisgwyliedig, ond mi ddaeth â hapusrwydd mawr i ni i gyd ar gyfnod go anodd. Bûm yn ffodus iawn hefyd i ddod o hyd i ferch o'r enw Llywela i'n cynorthwyo gyda'r gofal, ac mae'n braf gallu dweud fod Llywela yn gyfaill agos iawn i ni i gyd fel teulu hyd heddiw. Ac yntau tua naw diwrnod oed, daeth Math efo ni i'w Eisteddfod Genedlaethol gyntaf yn Llanbedrgoch ar Ynys Môn, ond go brin ei fod o wedi sylweddoli yr adeg honno pa mor bwysig fyddai Eisteddfodau'r dyfodol i'w yrfa.

Roedd diwedd 1999 yn gyfnod cyffrous iawn, a phawb yn edrych ymlaen at y mileniwm newydd. Gan fod Siân a minnau wedi ymweld â'i theulu yn Seland Newydd yn 1990 fe benderfynon ni fynd yno eto er mwyn dathlu'r Nadolig efo nhw, a chroesawu'r mileniwm newydd yn un o'r llefydd cyntaf i weld yr haul yn codi ar y cyntaf o Ionawr 2000. Roedd o hefyd yn gyfle i feddwl am ein dyfodol yn y diwydiant teledu, oedd bellach yn ansicr iawn, a gyda'n teulu'n cynyddu eto, roedd sicrwydd gwaith yn bwysicach nag erioed. Felly, gyda Math ond yn bum mis oed a Heledd ac Elain yn bump a phedair oed, fe gychwynom ar ein hantur i ochr arall y byd!

Seland Newydd

ROEDD SIÂN WEDI sôn droeon am Anti Gwen, chwaer ei nain, a ymfudodd i Seland Newydd fel cydymaith i ferch fach gyda theulu arall, a hithau ond yn ddeuddeg oed yn 20au'r ganrif ddiwethaf. Ers hynny roedd hi wedi cadw mewn cysylltiad gyda nain Siân; ei merch, Jan, wedi cadw cysylltiad gyda mam Siân; a'i hwyres, Christine, wedyn wedi cadw cysylltiad gyda Siân. Tair cenhedlaeth, felly, wedi bod mewn cysylltiad drwy lythyr a lluniau. Ni chafodd Gwen gyfle i ddod yn ôl i Gymru i weld ei theulu erioed, ac nid oedd unrhyw un o'r teulu agos yng Nghymru wedi cael cyfle i ymweld â Seland Newydd. Felly roedd Siân yn awyddus iawn i ni fynd draw i'w gweld gan ei bod hi bellach yn ei saithdegau hwyr. Daeth y cyfle yn ystod hydref 1990 wrth i Siân a minnau newid swyddi a symud i fyw i ogledd Cymru. Gyda mis Medi yn gwbl rydd, dyma benderfynu mynd i Seland Newydd a galw gyda Robin a Wendy, ffrindiau Siân o'r coleg, yn Singapore ar y ffordd adra.

Roeddem am wneud y mwyaf o'r ymweliad â Seland Newydd ac felly ar ôl llogi car yn Auckland, fe gymeron ein hamser i deithio i lawr yn hamddenol i Wellington gan aros mewn *motels* ar y ffordd. Unwaith yr oeddem allan o Auckland roedd y wlad yn hynod o braf, yr awyr yn hollol las, a'r tir ar y bryniau yn annaturiol o wyrdd. Fel mae pawb sydd wedi bod yno yn nodi, mae'r wlad yn debyg iawn i Gymru, ond bod y lliwiau yn fwy llachar rhywsut. Roedd y ffyrdd yn dawel, a golygfeydd y dyffrynnoedd yn newid gyda phob cornel, wrth basio pentrefi bach tlws, a'r cwbl rhywsut yn atgoffa rhywun o gyfnod y 60au.

Yn Wellington roeddem wedi trefnu i gyfarfod wyres Anti Gwen, sef Christine, oedd wedi bod yn cadw cysylltiad gyda Siân. Cawsom groeso mawr, ac er mai hwn oedd y tro cyntaf i Siân a Christine gyfarfod, roedd yna berthynas gyfforddus o'r dechrau. Roeddem wedi meddwl cyfarfod mewn bar bach, ond doedd hi ddim yn arferol i ferched fynd i far ar ben eu hunain yn Seland Newydd yr adeg hynny, ac felly roedd rhaid cyfarfod mewn lolfa mewn gwesty. Ar ôl aros gyda Christine a'i gŵr Richard am ychydig ddiwrnodau daeth yr amser i fynd i Hastings a Napier yn Hawke's Bay i gyfarfod Anti Gwen a'i merch Jan, a gweddill y teulu, sef Bruce, mab Anti Gwen, a'i deulu, a mab Jan, sef Brent.

Yn ystod y chwe deg mlynedd yr oedd Anti Gwen wedi bod yn Seland Newydd, doedd hi erioed wedi gweld ei dwy chwaer yng Nghymru, sef Eirlys (nain Siân) a'r chwaer ieuengaf, Anti Eira, na'u teuluoedd yng Nghymru, ac felly roedd hwn am fod yn gyfarfod emosiynol iawn. Cawsom groeso cynnes iawn gan Jan a'i gŵr Harold, a Bruce a'i deulu yn Napier, a nhw wnaeth ein cyflwyno i Anti Gwen a'i gŵr Charlie, ac mi roedd o'n brofiad emosiynol iawn i Siân, ac mae'n rhaid deud, i mi hefyd. Dwi'n cofio'n iawn eiriau Anti Gwen wrth weddill y teulu, 'You see, I do have a family.' Ers dros 60 mlynedd roedd hi wedi llwyddo i oresgyn pob math o galedi ar ei phen ei hun ac yna gyda'i gŵr Charlie, a bellach wedi magu teulu ei hun.

Dwi mor falch ein bod wedi cymryd y cyfle hwn i fynd draw a chychwyn cyfres o ymweliadau. Daeth Jan a Harold draw atom ni bedair blynedd yn ddiweddarach, a daeth eu mab Brent draw rai blynyddoedd wedyn. Aeth ewythr Siân draw yno hefyd, ac yna yn 1999 aeth Siân a mi, gyda Heledd, Elain, Math a Llywela yn ôl i Seland Newydd am 5 wythnos. Y bwriad oedd treulio'r Nadolig gyda'r teulu ar ôl gweld ychydig o'r wlad, ac yna teithio i Wellington, cyn dychwelyd i Hawke's Bay i weld yr haul yn codi ar Ddydd Calan y mileniwm newydd yn Napier, ar arfordir dwyreiniol y wlad. Roedd hi'n ymddangos fod y wlad wedi newid yn syfrdanol yn ystod y naw mlynedd, a'r teimlad yna o fod yn byw yn y 60au wedi diflannu'n llwyr.

Roedd yr agwedd tuag at fynd allan i dafarn yn bendant wedi newid, a thafarndai hefyd i weld yn croesawu teuluoedd gyda nifer yn darparu bwydydd o bob math. Erbyn yr ymweliad hwn roedd Anti Gwen a Charlie wedi ein gadael, oedd yn gwneud ein taith gyntaf hyd yn oed yn fwy gwerthfawr. Ond eto, fel mae'r cydbwysedd rhyfeddol yn digwydd mewn teuluoedd, roedd yna newydd-ddyfodiaid. Roedd Christine a Richard wedi cael merch, Philippa Siân, oedd rhyw flwyddyn yn hŷn na Heledd, a mab, Cameron, oedd ychydig yn hŷn na Math. Roedd y cysylltiad teuluol yn parhau felly, gyda Heledd ac Elain bellach yn cadw mewn cysylltiad cyson gyda Philippa, eu trydedd cyfnither y pen arall i'r byd.

Yr Ariannin

Y<small>N RHYFEDD IAWN</small>, ar y ddau dro y bu i mi ymweld â'r Ariannin, nid gydag Ar Log oedd hynny ond yn hytrach drwy fy ngwaith fel cyfarwyddwr llawrydd yn gweithio ar y gyfres *Pen-blwydd Hapus* i gwmnïau teledu Tir Glas a Gwdihŵ. Dwi'n dal yn gobeithio'n fawr, felly, y cawn ni gyfle fel Ar Log i ymweld â'r Wladfa rywbryd. Daeth y cyfle ym mis Ionawr 1993 wrth i Siân, fel is-gynhyrchydd, baratoi'r rhaglen ar Gwilym Roberts o Riwbeina. Roedd angen cyfarchion iddo gan drigolion y Gaiman gan iddo dreulio cryn amser allan yno yn eu cynorthwyo gyda dysgu Cymraeg, ac roedd eu hedmygedd ohono yn y Wladfa yn fawr.

Ar ôl gadael Heathrow, roedd saib ym Mharis, Rio de Janeiro a Montevideo, ble roedd rhywun sâl iawn yr olwg yn cael ei gario ar yr awyren ar *stretcher*, gyda dau neu dri o fagiau drip *intravenous* yn hongian uwch ei ben. Yna fe gyrhaeddais Ezeiza, prif faes awyr Buenos Aires, cyn croesi'r ddinas i faes awyr bach Jorge Newbery ar gyfer hedfan i lawr i Drelew. Ar y ffordd i'r maes awyr bach, fe alwais i mewn i swyddfa'r criw ffilmio yr oeddwn wedi eu llogi, er mwyn cadarnhau'r offer. Y tueddiad bryd hynny oedd bwcio criwiau lleol drwy gwmni WTN, gan fod gwybodaeth leol o fudd mawr os oedd yr amser yn brin a'r eitemau yn fyr. Doeddwn i ddim yn wir wedi ystyried, fodd bynnag, pa mor boeth oedd hi am fod yn yr Ariannin ym mis Ionawr, sef ganol yr haf. Chwarae teg, mi ges i gynnig cawod a chyfle i newid dillad yn swyddfa'r criw er mwyn ceisio edrych ychydig yn llai o *gringo*! Roedd Luned Roberts de Gonzalez yn disgwyl amdanaf ym maes awyr Trelew, ac ar ôl llogi car dyma ni'n mynd draw i'r Gaiman. Roedd ffilmio'r cyfarchion i Gwilym yn gyfrinach wrth gwrs, ac felly roedd rhaid rhybuddio pawb i beidio sôn dim am yr ymweliad, ond doedd hynny ddim yn hawdd ar ôl ymweld â'r Dafarn Las y noson honno, a Chapel y Tabernacl y bore wedyn yn Nhrelew. Roedd newyddion yn teithio'n gyflym drwy'r gymuned glos yma, ond roedd y croeso, fodd bynnag, yn wresog iawn a phawb am helpu i drefnu'r cyfarchion cyfrinachol. Roedd yr amserlen yn dynn iawn, ar ôl codi'r criw'r pnawn wedyn o Drelew, a ninnau'n ceisio cael cyfarchion gan bawb, yn Playa Union, Porth Madryn, Rawson, Trelew, y Gaiman a cheisio ffilmio'r haul yn machlud dros y paith, ond roedd Luned, chwarae teg, wedi trefnu'r cwbl. Un peth oedd yn fy nharo gyda'r cyfarchion, gyda llaw, oedd bod pawb yn dweud 'Pen-blwydd Llawen' yn hytrach na 'Pen-blwydd Hapus'. Wedi meddwl, wrth gwrs roedd hyn yn hollol ddealladwy. Mae 'hapus' yn dod o'r Saesneg, ac felly ddim wedi treiddio'r un fath i'r iaith Gymraeg ym Mhatagonia. Y diwrnod wedyn, ar ôl ffilmio'r criw ifanc yn *jogio* a chyfarch Gwilym, mi es draw am y paith i fferm Hyde Park, sef cartref y ddau hen frawd Tommy ac Edward. Dyma gymeriadau anhygoel ac roedd hi'n anrhydedd cael eu cyfarfod. Roeddynt yn amlwg wedi cael bywyd caled, ond wedi goresgyn yn erbyn pob anhawster wrth geisio rhedeg y fferm, a byw yn y tŷ yr oedd eu tad wedi ei adeiladu iddynt ar ôl cyrraedd ar y Mimosa. Roeddynt mor falch o'r pethau yr oeddynt wedi llwyddo i'w hadeiladu, yn enwedig yr olwyn ddŵr fach er mwyn dyfrhau'r tir. Roedd ganddynt hen harmoniwm yn y tŷ ac mi roedd rhaid i mi chwarae ychydig o emynau er mwyn iddynt gael canu. Dwi ddim yn siŵr beth oedd y criw o Buenos Aires yn feddwl o hyn i gyd, ond roeddynt hefyd wedi eu swyno gan frwdfrydedd y ddau. Roedd Gwilym Roberts wedi bod yno hefyd yn canu'r harmoniwm iddynt, ac felly roedd cyfarchion y ddau i Gwilym yn sicr am olygu llawer iddo. Wna i fyth anghofio'r dywediad ganddynt wrth i ni ffarwelio. 'Cofiwch ddod nôl yn fuan, neu mi fyddwn wedi mynd i ben bryniau.' Mae'r ddau bellach wedi mynd i 'ben bryniau', ond dwi'n teimlo mor falch mod i wedi cael cyfle i'w cyfarfod.

Wrth gael bwyd wedyn efo'r criw, Raul a Sebastian, y noson honno yn ôl yn Nhrelew, daeth newyddiadurwr a ffotograffydd i mewn i'r bwyty yn holi am stori i'w rhoi yn y papur lleol am ein hymweliad. Doedd gen i ddim syniad sut roedd o'n gwybod ble roedden ni, na bod unrhyw hanes i'w gael ar gyfer y papur. Un bwyty oedd hwn yr oeddem wedi ei ddewis ar hap allan o'r holl fwytai yn y dre, ond am ryw reswm roedd o'n gwybod ein bod ni yno, a pham yr oeddem wedi ymweld â Phatagonia! Ar ôl gwneud y cyfweliad a thynnu lluniau, roedd perchennog y bwyty yn credu ein bod yn rhywun hynod o bwysig, a dyma fo'n estyn potel o *Chablis* gorau'r tŷ i ni am ddim! Yn dilyn hynny aeth Raul, y gŵr camera, drwy ei hanesion yn ffilmio yn Chile ac yn Nicaragua, a sut yr oedd wedi cael ei ddal yn Chile gan filwyr Peron, a'i osod o flaen wal gydag eraill i wynebu *firing squad*. Fe lwyddodd i ddianc er iddo gael ei saethu sawl gwaith, ac mi ddigwyddodd yr un peth hefyd wrth ddianc oddi wrth y Sandanistas yn Nicaragua. Roedd hi'n amser mynd adre dwi'n credu, ond doedd hi ddim am fod yn siwrne lyfn, dwi'n ofni.

Am 1.30 yn y pnawn roeddwn yn dal i ddisgwyl yr awyren ym maes awyr Trelew oedd i fod wedi gadael am 1.10. Mae yna awr o wahaniaeth amser rhwng Trelew a Buenos Aires ac felly roeddwn i fod i gyrraedd maes awyr Jorge Newbery am 4.00, awr wedyn i groesi'r ddinas i faes awyr rhyngwladol Ezeiza i ddal y *flight* i Baris am 7.00. Felly roedd hi'n eitha tynn, a dim *flight* arall allan o Buenos Aires am rai diwrnodau. Fe gyrhaeddodd yr awyren Drelew yn y diwedd a gadael am 2.00 ac felly roeddwn yn credu y byddai popeth yn iawn. Ond, ar ôl rhyw hanner awr mi wnes i sylwi fod y môr yn dal ar y chwith, ac i mi roedd hyn yn golygu ein bod yn hedfan i lawr am y de, sef i'r cyfeiriad hollol anghywir, oedd yn golygu ein bod yn mynd ymhellach o Buenos Aires. Dyma'r awyren yn glanio wedyn mewn rhyw le o'r enw Comodora Rividavia, hanner ffordd i lawr i'r enwog Horn. Fe ddywedodd y stiwardes fod rhaid gollwng rhyw aelod o'r fyddin yno ac y bydden ni'n cychwyn yn ôl mewn 20 munud ac yn cyrraedd Buenos Aires am 6. Fe eglurais fod gennyf *flight* ar draws yr Iwerydd i Baris am 7.15 a'i bod hi'n cymryd awr i groesi'r ddinas. Chwarae teg i'r stiwardes a'r capten, fe alwon nhw ar y radio i'r maes awyr bychan, a phan gyrhaeddais faes awyr Jorge Newbery am 6.10, fe ges i fynd oddi ar yr awyren yn gyntaf, ac roedd tacsi yn disgwyl amdanaf ar waelod y grisiau. Fe aeth fel cath i gythraul cyn i mi gael cyfle i gau y drws yn iawn a rhoi fy melt. Aeth drwy bob golau coch, a phan nad oedd modd gwneud hynny, fe aeth i ochr arall y ffordd a phasio'r goleuadau cyn i'r pedair *lane* o draffig gychwyn dod amdanom ni. Fe aeth i fyny ac i lawr y pafin, fflachio ei oleuadau a chanu'r corn yn ddi-baid. Roeddwn yn sicr ei bod hi'n ddiwedd arna i o leiaf bedair gwaith, ac yna byddai'n gweiddi drwy'r ffenest ar i'r bobl druan symud o'r ffordd. Mi edrychais ar y *speedometer* unwaith i weld, ac roedd yn gwneud 130 cilometr yr awr drwy ganol y dre. Yn y diwedd mi wnes i gau fy llygaid a derbyn mai o bosib fa'ma oedd diwedd y daith am fod. Ond am 7.05 fe gyrhaeddon ni'r maes awyr. Mi rois i fy holl newid mân a 'chydig o ddoleri America i'r gyrrwr fel tip, gan ddiolch ganwaith iddo, a rhedeg am y ddesg. Roedd yr awyren wedi ei dal yn ôl am hanner awr, ac felly cefais fynd arni, ffeindio fy sedd, ac anadlu. Daeth y stiward ataf a gofyn,

'Weren't you on this flight over to Buenos Aires a couple of days ago?'

'Yes', meddwn i. Yr un criw oedd ar yr awyren Air France, wedi gorffwyso a rŵan yn mynd yn ôl.

'Why did you come so far for only two or three days?'

Oedd hi'n werth trio egluro?

'Well you see, we have this TV programme in Wales and there's this Welsh colony in Patagonia...'

***

Roedd yr ail ymweliad â'r Ariannin bum mlynedd yn ddiweddarach ym mis Mai 1997, eto i ffilmio cyfarchion i'r gyfres *Pen-blwydd Hapus*, a'r gwestai y tro hwn oedd Elvey MacDonald. Ar ôl hedfan i Madrid, roedd gweddill y *flight* yn uniongyrchol i Beunos Aires, diolch byth. Y tro hwn roedd rhywun o'r cwmni ffilmio yn disgwyl amdanaf ac ar ôl mynd heibio eu swyddfa i bigo'r gŵr camera a'r peiriannydd sain, aethom i faes awyr bychan Jorge Newbery i hedfan i lawr i Drelew. Roedd y car roeddwn wedi ei logi yn barod hefyd yn y maes awyr ac felly ar ôl gollwng y criw yn y gwesty mi es ymlaen i'r Gaiman i gyfarfod Luned Gonzalez eto, a chwaer Elvey, Edith. Y tro hwn Edith oedd yn arwain y cyfarchion ac mi gefais groeso mawr gan y teulu i gyd, ond y seren, yn ddi-os oedd 'nain', sef mam Elvey ac Edith. Y bwriad oedd ceisio hedfan mam Elvey draw i Gymru ar gyfer y rhaglen fel syrpréis i Elvey, ac felly roedd dipyn o drefnu i'w wneud. Cyd-ddigwyddiad llwyr oedd i mi gyfarfod meddyg teulu 'nain' yn y maes awyr, ac ar ôl adrodd yr hanes a'r rheswm pam yr oeddwn ym Mhatagonia, fe ddywedodd ei fod yn credu y byddai ei hiechyd yn iawn ar gyfer y daith. Y broblem, fodd bynnag, oedd cael *passport* iddi hi, gan fod hyn yn broses ara deg iawn a llawn biwrocratiaeth. Ond fe lwyddwyd yn y diwedd i ddod ag Oscar Arnold, Edith a 'nain' sef Sara Jones MacDonald i'r stiwdio yng Nghaerdydd ar y noson recordio, er mawr syndod a phleser i Elvey.

Un o nodweddion rhyfeddol ac enwog Patagonia, a Dyffryn Camwy yn arbennig, yw'r bwytai ar gyfer te a chacennau Cymreig. Mae trigolion yr Ariannin yn dod o bell i flasu danteithion y *Casa de te Galés*, ac felly roedd rhaid trio trefnu fod un o'r cyfarchion, o leiaf, yn dod o'r tai *Te Galés*. Trefnwyd i'r pedwarawd ifanc 'Hogia'r Wilber' i ddod i ganu eu cyfarchion y tu allan i Tŷ Caerdydd, sef un o dai te enwoca'r dyffryn. Un o aelodau'r pedwarawd oedd Hector MacDonald, nai Elvey, sydd bellach, wrth gwrs, yn enwog fel cyfansoddwr yma yng Nghymru. Os gewch chi byth y cyfle i ymweld â Phatagonia, yna mae cael te prynhawn yn un o'r bwytai hyn yn hanfodol.

Dwi erioed wedi blasu cacennau cystal, ac roedd y criw ffilmio o Buenos Aires wedi eu swyno'n llwyr gyda'r holl brofiad ac erioed wedi clywed am yr arferiad. Ond doedd dim amser i oedi gan fod angen ffilmio dau gôr a phedwarawd arall a chyrraedd Eisteddfod y Gaiman erbyn 6.30. Dyna brofiad anhygoel arall – Eisteddfod Gymreig yn cael ei chynnal yn Sbaeneg a Chymraeg y pen arall i'r byd. Erbyn hyn roedd y criw wedi drysu'n llwyr.

Yn wahanol i'r ymweliad cyntaf â'r Wladfa, doedd dim brys ar y ffordd yn ôl drwy Buenos Aires gan fod un o'r cyfarchion eto i'w wneud gan Esgob Aldo Etchegoyen, hen gyfaill i Elvey, o'r Primera Iglesa Metodista yn y ddinas. Wrth gyrraedd ar y dydd Sul roeddwn yn credu y byddai'r ddinas yn dawel braf, ac y byddai'r daith mewn tacsi y tro hwn yn llawer tawelach, ond na. Roeddwn wedi sylwi o'r blaen fod yna nifer o'r strydoedd yn yr Ariannin wedi eu henwi yn '25 de Mayo'. Hwn oedd dyddiad dathlu annibyniaeth yr Ariannin o Sbaen, y chwyldro yn Buenos Aires, a chychwyn annibyniaeth i nifer o wledydd yn Ne America. Trwy gyd-ddigwyddiad llwyr, dyddiad y dydd Sul hwnnw pan gyrhaeddais y ddinas oedd Mai'r 25ain! Roedd hi'n weddol gynnes o'i gymharu â'r Gaiman, ac ar ôl bwcio i mewn i'r gwesty mi es am dro o gwmpas y ddinas i flasu'r awyrgylch. Dwi'n siŵr i mi gerdded y strydoedd, yr *avenidas* llydan, a'r canolfannau siopau tan tua hanner nos, a phobman yn llawn o deuluoedd a phlant yn dathlu. Roeddwn wedi fy swyno gan y ddinas, yr awyrgylch a'r bobl, ac yn teimlo'n flin ofnadwy am agwedd Prydain tuag at yr Ariannin, a'r holl sylw negyddol oedd wedi bod yn y wasg yn dilyn rhyfel y Malvinas, a'r ffordd yr oedd y wlad yn cael ei phardduo gan Brydain. Dwi heb gael cyfle eto, ond byddwn wrth fy modd yn mynd yn ôl i'r Ariannin, i dalaith Patagonia, a cheisio cyrraedd Cwm Hyfryd hefyd yn y gorllewin ar lethrau'r Andes. Hwyrach daw cyfle gyda Siân rywbryd cyn i ni fynd i 'ben bryniau'.

Cymru 5

AR ÔL DYCHWELYD o Seland Newydd ym mis Ionawr y mileniwm newydd, roedd hi'n gyfle i edrych o'r newydd ar ein cynlluniau. Roedd Bethan Williams, Rheolwr Swyddfa y cwmni, wedi cael syniad i adnewyddu hen swyddfeydd yng Nghaernarfon, er mwyn ail-leoli'r cwmni a llogi ystafelloedd i gwmnïau eraill. Yn ystod y cyfnod o baratoi'r swyddfeydd newydd, fe benderfynon ni addasu rhan o'n cartref i greu swyddfa dros dro i'r cwmni. Roeddem wedi llwyddo i ddenu mwy o brosiectau corfforaethol, rhai i'r Adran Iechyd, eraill i Barc Eryri, Cyngor Môn, Cyngor Dun Laoghaire ac un hyd yn oed i gwmni garddio rhyngwladol. Ond doedd hyn ddim yn ddigon i'n cynnal ac fe benderfynodd Siân ddychwelyd at gerddoriaeth a gweithio fel athrawes beripatetig i Wasanaeth Ysgolion William Mathias a Chanolfan Gerdd William Mathias, yn ogystal â rhoi gwersi piano adref.

Roedd Heledd ac Elain hefyd wedi dangos diddordeb mewn gwersi offerynnol, ac un diwrnod ar ôl i Heledd gael gwers ar y delyn adref pan oedd hi tua saith oed, fe glywon ni'r alaw yr oedd hi'n ei dysgu yn cael ei chanu ar y delyn unwaith eto. Roeddem yn credu fod Heledd, chwarae teg iddi hi, yn parhau i ymarfer y darn Gradd 2. Yna, daeth Heledd i mewn i'r gegin, ond roedd y darn yn dal i gael ei chwarae. Dyma frysio i'r ystafell lle roedd y delyn ac yno'n canu'r alaw ar y delyn roedd Math, ac yntau ond yn dair oed. Roedd Math yn hoffi mynd â chlustog yn slei bach i guddio o dan hen ddesg yn y stafell pan fyddai Siân yn rhoi gwersi piano. Byddai'n gwrando ar y gwersi yn gwbl fodlon

137

am oriau. Pan oedd o tua thair oed mi ddechreuais i chwarae rhyw ganeuon syml ar y piano a dangos iddo beth i chwarae fel cyfalaw neu gordiau'r un pryd. Byddai'n cofio'r cwbl mewn chwinc ac yn eu chwarae mewn amseriad a rhythmau hollol gywir. Yn amlwg roedd ganddo ddawn gerddorol gynhenid ac erbyn cyrraedd ei bedair oed roedd wedi cychwyn cael gwersi ar y delyn gan Elinor Bennett.

Cyn cychwyn y gwersi, roeddwn i wedi dysgu ychydig o alawon iddo ar y delyn deires, ac yn naturiol wedi ei ddysgu i ganu'r delyn ar yr ysgwydd chwith gan mai dyna sut roedd Nansi wedi'n nysgu i ganu'r delyn deires. Roedd Nansi yn grediniol fod y delyn i fod i gael ei chanu ar yr ysgwydd chwith, gan mai'r llaw dde, y llaw gref, sy'n canu nodau'r bas, a'r llaw chwith wedyn sy'n canu'r alaw, fel sy'n digwydd gyda phob offeryn llinynnol. Roedd hi'n dweud hefyd mai'r llaw chwith yw'r 'gosaf at y galon ac felly ei bod yn hollbwysig sicrhau mai hon sy'n canu'r alaw. Ers y cychwyn felly, mae Math wedi cadw i'w gosod ar yr ysgwydd chwith, hyd yn oed wrth ganu'r delyn bedal, a dwi'n hynod o falch ei fod yn parhau gyda'r traddodiad hwnnw, yn enwedig ar y delyn deires.

Roedd y genethod hefyd yn hoff iawn o berfformio, a gan nad oedd gwaith y cwmni yn ofnadwy o brysur fe benderfynodd Siân a mi, eto gyda chymorth Bethan, i sefydlu elusen o'r enw Rygarug, fyddai'n cynnig gweithdai a sesiynau yn y celfyddydau perfformio i blant rhwng 7 ac 16 yn ardal Dyffryn Peris. Y bwriad oedd cynnig y sesiynau am £1.00 y sesiwn yn unig er mwyn sicrhau bod y cyfle ar gael i bob plentyn yn yr ardal. Gwirfoddolwyr oedd yr holl ymddiriedolwyr yn ogystal â'r tiwtoriaid a'r gwarchodwyr. Yn amlwg, roedd rhaid llogi ystafelloedd a thalu am ddeunyddiau ac arbenigwyr ac yn y blaen ac fe lwyddwyd i gael grant gan Gyngor y Celfyddydau am rai blynyddoedd i gynnal y fenter. Roedd y grant hefyd yn ein galluogi i gyflogi gweinyddydd rhan amser a chomisiynu awduron i greu sioeau unigryw a phwrpasol. Mae'n diolch ni yn fawr i'r criw a gefnogodd y fenter o'r dechrau, sef Dyfan ac Angela Roberts, Robin Williams, Eirwen Williams, Arwel Jones,

Audra Roberts, Irfon Jones, Sharon Griffiths ac Emyr Tomos. Yn anffodus, pan ddaeth y cadarnhad fod gemau'r *Olympics* yn dod i Lundain yn 2012, fe sychodd nifer o'r cronfeydd nawdd flynyddoedd cyn y gemau a bu'n rhaid rhoi'r gorau i'r fenter ar ôl saith mlynedd. Ond llwyddwyd i greu pedair sioe wreiddiol gyda chast o dros 100 o blant yr ardal, a byddai cynnyrch y gweithdai amrywiol i gyd yn cyfrannu at y sioeau. Perfformiwyd *Copa Caban* yn ystod Eisteddfod Genedlaethol 2005 yn theatr newydd sbon Galeri ac roedd *Gwyrdd* yn un o'r sioeau olaf i gael ei llwyfannu yn Theatr Gwynedd, Bangor, cyn iddi gael ei chwalu, braidd yn gynamserol yn 2008.

Roedd cynnal cwmni Gwdihŵ yn gynyddol anoddach a phan welais hysbyseb yn *Y Cymro* gan gwmni Sain am swydd rheolwr, roedd meddwl am fynd yn ôl i'r byd recordio yn fy nghyffroi'n fawr. Pan gefais y swydd, roeddwn wrth fy modd a theimlwn fel bachgen newydd yn yr ysgol pan gychwynnais yn Sain ar Ionawr y pumed, 2004. Roedd o'n gyfrifoldeb mawr, ond roedd o'n fraint cael arwain un o gwmnïau cerdd mwyaf eiconig Cymru, yn enwedig o gofio fy nghysylltiadau â'r cwmni ers pan oeddwn yn fachgen dwy ar bymtheg oed. Roedd sefydlu a rhedeg cwmni Gwdihŵ wedi rhoi profiad da i mi o fyd busnes ac roedd astudio mathemateg ac ystadegau yn y Brifysgol o fantais fawr erbyn hyn wrth drin cyllidebau. Fy mlaenoriaethau oedd ceisio gwella isadeiledd y cwmni a pharatoi'r ffordd ar gyfer y chwyldro digidol oedd ar y gorwel.

Roeddwn hefyd yn awyddus i sefydlu label newydd ar gyfer bandiau ifanc newydd ac ymhen y flwyddyn sefydlwyd Rasal fel is-label newydd i Sain i olynu Crai. Bûm yn pendroni am hir am enw i'r label newydd, yn bennaf wrth fynd â Celt, ein ci, am dro gyda'r nos, gan chwarae gyda'r llythrennau ar gyfer Label Roc Sain. Aeth LAbel SAin Roc yn LA-SA-R, oedd yn enw posib, ond wrth ei droi ffordd chwith daeth RASAL, oedd hefyd yn swnio'n Gymreig ac yn cyfleu rhywbeth miniog. Un arall o'm blaenoriaethau oedd ehangu dosbarthu cynnyrch Sain dramor ac yng ngweddill Prydain ac mi wnaeth un albwm hwyluso hyn yn fawr, sef *Benedictus*, yr albwm o ddeuawdau gan Bryn Terfel a Rhys Meirion. Er yn brosiect uchelgeisiol, fe lwyddodd i ddenu diddordeb dosbarthwyr Prydain ac oherwydd enwogrwydd a phoblogrwydd Bryn ar draws y byd, fe ddenodd sylw dosbarthwyr rhyngwladol hefyd mewn ffeiriau masnach fel MIDEM yn Cannes.

Wrth fynychu'r ffeiriau masnach rhyngwladol roedd modd clywed am y tueddiadau diweddaraf mewn seminarau ac mewn cyfarfodydd wyneb yn wyneb gyda rhai o arweinwyr y labeli mawrion a phrif ddylanwadwyr y diwydiant cerdd. Roedd newid mawr ar y gorwel yn amlwg gyda'r chwyldro digidol a dyfodiad 'lawrlwytho'. Bûm yn ffodus i gael cyfarfod â phennaeth iTunes yn Ewrop a sicrhau cytundeb uniongyrchol gydag Apple ar gyfer ein catalog. Ond roedd rhaid i ni baratoi'r *metadata*, sef y fformat digidol ar gyfer y traciau a'r holl wybodaeth cefndir megis yr hawlfreintiau, manylion y recordiad, y cyfansoddwyr, y perfformwyr ac yn y blaen. Gyda chatalog o tua 15,000 o draciau byddai hyn yn dasg enfawr. Roedd angen cymorth allanol a thrwy lwc pur mewn rhyw gynhadledd cefais wybodaeth am gynllun o'r enw KTP sef *Knowledge Transfer Partnership*. Cynllun oedd hwn ym Mhrifysgol Bangor oedd yn cynnig cydymaith ôl-raddedig am gyfnod o ddwy flynedd i weithio ar brosiect arbennig i gwmnïau masnachol. Yn dilyn proses eithaf hir a chymhleth, daeth cydymaith o'r enw Steffan Thomas atom am ddwy flynedd i geisio rhoi trefn ar y broses o ddigido'r catalog, ailgynllunio'r wefan, a chael dosbarthwr digidol. Roedd hyn yn hanfodol er mwyn sicrhau fod ein cynnyrch ar gael ar bob platfform digidol, gan eu bod bellach yn codi fel madarch a phob un yn gofyn am fformat ychydig yn wahanol ar gyfer y *metadata*. Yn y cyfamser, roedd label newydd RASAL yn llwyddo i ddenu bandiau ifanc a phan ddywedodd Rheolwr y Label, Aled Ifan, wrtha i ei fod yn gwahodd 'Daniel Lloyd a Mr Pinc' i recordio albwm, roeddwn wrth fy modd.

Cafodd Elis a Mei ychydig o wersi piano pan oeddent yn ifanc, ac roedd Mei wedi rhoi cynnig ar y delyn am ychydig. Ond doedd dim llawer o awydd i barhau, a phan fo hynny'n digwydd dwi'n credu ei bod hi'n well gadael i'r awydd gymryd ei gwrs ei hun. Dyna ddigwyddodd i raddau gydag Elis a Mei. Un Nadolig pan oedd Elis yn ei arddegau cynnar, roedd o eisiau set o ddrymiau. Dyna benderfyniad anodd am sawl rheswm. Byddai angen lle i'w cadw ac ystafell weddol *soundproof* i ymarfer, ar wahân i'r gost, a'r adeg hynny mi wnes i ddifaru i mi werthu'r drymiau oedd gen i pan oeddwn yn aelod o'r grŵp Brân. Fel cyfaddawd, ac i brofi a oedd Elis yn wirioneddol o ddifri am fod yn ddrymiwr, dyma gael set o rai electronig iddo fo. Ymhen blwyddyn roedd o wedi profi ei bwynt ac mi aeth y ddau ohonom i brynu set o ddrymiau ail law iddo.

Yn y cyfamser, bron yn ddiarwybod i neb, roedd Mei wedi cymryd at y gitâr fas, a dyna anrheg Nadolig arall. Gyda rhai o'u ffrindiau yn Llanystumdwy roeddent wedi cychwyn grŵp o'r enw Mr Pinc, ond pan aeth Elis i Brifysgol Bangor daeth yn ffrindiau â Daniel Lloyd o Rosllannerchrugog oedd yn ganwr ac yn gitarydd o fri. Er mai mynd i Brifysgol Caerdydd i astudio Ffiseg wnaeth Mei, rhywsut, gydag Aled 'Cae Defaid', cyfaill arall o Fangor, daeth y cwbl at ei gilydd i greu 'Daniel Lloyd a Mr Pinc'. Cafodd y band gryn lwyddiant gyda chaneuon fel 'Goleuadau Llundain' ac 'Eldon Terrace', sef cartref Elis a Dan pan oedden nhw yn y coleg, gan lwyddo i barhau gyda'i gilydd ar ôl gadael y Brifysgol. Os dwi'n cofio'n iawn, fi roddodd y paent pinc iddyn nhw beintio'r waliau sydd wedi eu hanfarwoli yn y gân! Erbyn hyn mae Elis yn gynhyrchydd a chyfarwyddwr teledu a Mei yn dysgu cyrsiau ôl-raddedig mewn biotechnoleg ym Mhrifysgol Aberystwyth.

Yn 2005 fe glywsom am ŵyl neu ffair fasnach o'r enw WOMEX (World Music Exposition), oedd yn canolbwyntio ar gerddoriaeth byd. Doedd hi ddim yn ŵyl fawr bryd hynny, ond erbyn hyn mae hi'n un o brif wyliau cerddoriaeth y byd sy'n teithio bob blwyddyn i wledydd gwahanol yn Ewrop. Ond y flwyddyn honno roedd hi yn Gateshead, yng ngogledd Lloegr. Roedd hwn yn gyfle da felly, heb deithio'n rhy bell, i weld pa gyfleoedd oedd yno ar gyfer artistiaid o Gymru a thrwyddedu a dosbarthu Cerddoriaeth Gymraeg a Chymreig. Sain oedd

141

yr unig gwmni o Gymru yno, oedd yn rhyfeddol, gan fod cannoedd o gynadleddwyr o bob rhan o'r byd yn bresennol, yr artistiaid rhyngwladol yn berfformwyr gwych, a photensial aruthrol ar gyfer magu cysylltiadau. Fe benderfynon ni, felly, i fynd â stondin yn flynyddol wedi hynny, gan fynychu WOMEX yn Seville dair gwaith, Copenhagen ddwywaith, Thesaloniki, Santiago de Compostela, Budapest a Katowice. Ers yr ymweliad cyntaf yn Gateshead, roeddwn yn credu y byddai'n wych petai modd denu'r ŵyl i Gymru er mwyn ceisio codi proffil ein cerddoriaeth gynhenid, sydd hefyd yn 'Gerddoriaeth Byd' wrth gwrs. Yn ystod yr un flwyddyn cefais wahoddiad i ymuno â bwrdd y Sefydliad Cerddoriaeth Gymreig (SCG neu'r WMF yn Saesneg), sef y corff oedd yn cynrychioli'r diwydiant cerdd yng Nghymru, ac ar ôl trafod y syniad gydag eraill ar y bwrdd, roedd yna awydd yn bendant i geisio denu WOMEX i Gaerdydd.

Ffurfiwyd partneriaeth rhwng Cyngor Celfyddydau Cymru, Celfyddydau Rhyngwladol Cymru a'r SCG, o'r enw Cerdd Cymru:Music Wales. Dewiswyd y diweddar Alan James, Cadeirydd y SCG ar y pryd, a minnau i gynrychioli'r sefydliad ar fwrdd Cerdd Cymru:Music Wales, a dwi'n hynod o falch ein bod wedi llwyddo, ar ôl blynyddoedd o drafod, i ddenu WOMEX i Gaerdydd yn 2013. Y flwyddyn ganlynol, yn Santiago de Compostela, doedd dim rhaid egluro am Gymru a'i cherddoriaeth, oherwydd roedd yna ddiddordeb a momentwm anhygoel yn dilyn ymweliad yr ŵyl â Chaerdydd. Ond y tristwch anferth a chwbl annealladwy, fodd bynnag, oedd penderfyniad Llywodraeth Cymru i stopio ariannu'r SCG y flwyddyn honno, gan arwain at gau'r sefydliad a gwastraffu'r holl fuddsoddiad, yn ariannol ac o ran amser ac adnoddau'r llu o bobl oedd wedi gweithio mor galed i roi llwyfan rhyngwladol i gerddoriaeth Gymraeg a Chymreig. Roedd hyn yn cynnwys y cwmniau masnachol, fel Sain, ac unigolion oedd wedi buddsoddi eu hamser a'u harian hefyd i fynychu WOMEX yng Nghaerdydd, yn y gobaith y byddai'n arwain at fwy o waith yn rhyngwladol gyda chefnogaeth y SCG.

Wrth i Sain ddechrau cael trefn ar yr ochr ddigidol, daeth ergyd anferth i'r diwydiant cerdd Cymraeg wrth i PRS (Performing Rights Society) newid eu polisi dosbarthu. Mae toreth o erthyglau ac adroddiadau wedi eu cyhoeddi am yr hyn a ddigwyddodd ac nid dyma'r lle, mae'n siŵr, i fynd i fanylion am y cymdeithasau casglu a dosbarthu breindal a hawlfreintiau cerddorion. O'm rhan i, roeddwn yn teimlo mai fy nghyfrifoldeb cyntaf oedd ceisio sicrhau dyfodol cwmni Sain yn sgil colli rhan helaeth o'n hincwm, ac felly yn ei dro, incwm i'r cyfansoddwyr. Ond roedd annhegwch ac anghyfiawnder yr holl sefyllfa yn fy nghorddi hefyd. Yr hyn a'm cythruddodd i fwyaf oedd nad oedd PRS hyd yn oed yn sylweddoli, nac wedi ystyried y niwed anferth oedd yn cael ei wneud i'r diwydiant cerdd Cymraeg drwy'r newid mewn polisi. Roeddwn yn teimlo bod rhaid ymladd hyn er tegwch i gyfansoddwyr a chyhoeddwyr yng Nghymru. Y cam cyntaf oedd dangos i PRS beth oedd effaith y newid, yna eu perswadio nad oedd eu systemau yn ddigon soffistigedig i ddelio â cherddoriaeth leiafrifol. Cafwyd peth llwyddiant wrth iddynt gytuno i gyflwyno'r newid mewn polisi yn raddol dros dair blynedd i roi cyfle i gwmnïau addasu. Hefyd fe gytunodd PRS fod angen system ar wahân i ddosbarthu'r breindal oedd yn cael ei gasglu o drwyddedau lleoliadau, siopau, tafarndai ac yn y blaen, yng Nghymru.

Yna ymhen y flwyddyn daeth ergyd arall wrth iddynt hefyd haneru'r breindal am y gerddoriaeth oedd yn cael ei chwarae ar Radio Cymru, sef y ffynhonnell fwyaf i gyfansoddwyr cerddoriaeth Gymraeg. Dyna ysgogodd yr ymgyrch i dynnu ein cerddoriaeth o orsafoedd radio a sianelau teledu'r BBC. Gan fod y BBC yn gwsmer anferth i PRS ac yn dibynnu'n drwm ar gerddoriaeth Gymraeg i gynnal Radio Cymru, byddai hyn wedyn yn golygu pwysau gan y BBC ar PRS i adolygu eu polisïau. Mi roedd gan y cyhoeddwyr yng Nghymru rhyw grŵp *ad-hoc* oedd yn trafod gyda PRS bob hyn a hyn, ond roedd rhaid ffurfioli ymgyrch erbyn hyn. Sefydlwyd 'Y Gynghrair', sef Cynghrair Cyhoeddwyr a Chyfansoddwyr Cerddoriaeth Cymru fel cwmni dielw ac yna sefydlodd 'Y Gynghrair' y corff casglu 'Eos – Yr Asiantaeth Hawlfreintiau Darlledu', eto fel cwmni dielw â bwrdd o ymddiriedolwyr gwirfoddol i'w reoli. Wedi i Eos gael ei sefydlu roedd modd gofyn i gyfansoddwyr a chyhoeddwyr i dynnu hawliau darlledu eu cerddoriaeth o PRS a'u trosglwyddo i Eos. Y bwriad wedyn oedd bod Eos yn trafod trwydded 'blanced' annibynnol gyda'r BBC ac S4C er mwyn gwella'r breindal.

Daethpwyd i gytundeb gydag S4C yn weddol gyflym ond doedd y trafodaethau gyda'r BBC ddim yn hawdd. Gan mai trafod trwydded gyda holl sianelau a gorsafoedd y BBC ar draws Prydain roeddem ni, anfonodd y BBC eu huwch-negodwyr o Lundain. Doedd eu diffyg dealltwriaeth o'r sefyllfa yng Nghymru ddim yn helpu pethau ac yn y diwedd daeth y trafodaethau yn ôl i Gaerdydd. Mi wellodd y trafodaethau ychydig ac roeddwn i'n wirioneddol gredu ein bod yn agos iawn at ddod i gytundeb ar un adeg. Ond yn ddiarwybod i ni, roedd y BBC wedi cychwyn paratoadau ar gyfer mynd ag Eos i dribiwnlys. Fe wnaeth hyn fy siomi i'n fawr. Doedd gan Eos mo'r arian, na'r adnoddau, na'r arbenigedd i wynebu Tribiwnlys Hawlfreintiau ac er i'r BBC gyfrannu ychydig tuag at gostau Eos i baratoi'r achos, doedd o ond yn ganran fechan iawn o'r hyn roedd y BBC yn ei wario wrth baratoi at yr achos i'n herio. Mae'n rhaid cael bargyfreithiwr i gyflwyno achos mewn tribiwnlys fel hyn ac mae'n rhaid cael cyfreithiwr, neu gwmni cyfreithwyr i gyflwyno ac i gefnogi'r bargyfreithiwr, sy'n gostus iawn, wrth gwrs. Felly dwi'n hynod o ddiolchgar i'r cyfreithiwr Emyr Lewis, nid yn unig am ei arweiniad a'i ddadansoddiadau rhesymegol, ond hefyd am ei holl waith *pro bono* ar ran Eos – fydden ni ddim wedi medru cael neb gwell. A phan ddaeth hi'n amser i feddwl am fargyfreithiwr, yna dim ond un enw oedd ar ein rhestr, sef Gwion Lewis. Eto mae'n diolch ni'n fawr iawn iddo am yr holl oriau a dreuliodd yn paratoi ac yn dadansoddi'r dadleuon.

Yn y gwrandawiad *interim* yn Llundain, cyflwynwyd achos Eos gan fargyfreithiwr arall o'r siambr, ond dwi ddim yn credu ei fod wedi deall y cefndir yn hollol ac felly pan gadarnhawyd mai Gwion Lewis fyddai'n cyflwyno ein hachos yn y prif wrandawiad roeddwn yn teimlo'n llawer hapusach. Gan fod ein cyllideb mor fach doedd dim modd i ni gyflogi cyfreithwyr i baratoi'r holl ddogfennau roedd eu hangen cyn y gwrandawiad. Felly, fe ddisgynnodd y gwaith i gyd ar ddau ohonom, sef Gwilym Morus a fi – dau leygwr oedd hefyd yn trio dal pen llinyn ynghyd efo gwaith pob dydd. Roedd Gwilym, fel aelod o fwrdd Y Gynghrair ac Eos wedi bod yn hynod weithgar yn sicrhau bod y cyfansoddwyr yn trosglwyddo eu hawlfreintiau darlledu o PRS i Eos, a rŵan roedd datganiadau cyfreithiol di-ri angen eu paratoi yn ogystal ag ymateb i geisiadau am wybodaeth gan gyfreithwyr y BBC yn Llundain a pharatoi *affidavits*. Mi roedd yr holl broses yn straen mawr ar y ddau ohonom, ac ar ôl y gwrandawiad *interim* yn Llundain mi es at y doctor, gan fy mod yn dechrau amau bod fy mhwysau gwaed yn uwch nag y dylai fod. Roedd yr edrychiad ar wyneb y doctor wrth edrych ar y peiriant mesur yn ddigon i gadarnhau fy ofnau – cefais dabledi yn y fan a'r lle!

Fe lwyddon ni i berswadio'r Intellectual Property Office yn Llundain i gytuno i gynnal y gwrandawiad llawn yn yr Uchel Lys yng Nghaernarfon, er y byddech yn credu eu bod yn dod i ben draw'r byd. Hefyd, fe nodwyd y byddem yn cyflwyno ein tystiolaeth yn Gymraeg, ac roeddent yn methu dychmygu sut byddai cyfieithu ar y pryd am weithio! Ar ochr Eos roedd Gwion Lewis, ein bargyfreithiwr, Gwilym Morus a mi. Ar ochr y BBC roedd bargyfreithiwr a thîm o gyfreithwyr, uwch-negodwyr ac ymgynghorwyr o Lundain – ond o leiaf roeddem yng Nghaernarfon. Fe gyflwynodd Gwion ddadleuon cryf iawn ac yn y diwedd, pan ddaeth y dyfarniad rai misoedd wedyn, er na chawsom yr hyn yr oeddem yn gobeithio ei gael yn ariannol, sefydlodd y Tribiwnlys nifer o egwyddorion pwysig iawn o ran gwerth cerddoriaeth Gymraeg i'r BBC, fyddai'n sail i drafodaethau'r dyfodol. Ar ddiwedd yr wythnos roeddwn yn teimlo wedi ymlâdd, ond yn llawn edmygedd o'r ffordd y gwnaeth Gwion gyflwyno'r dadleuon. Roedd gorchymyn y

Tribiwnlys yn gofyn i Eos wedyn ddod i gytundeb gyda'r BBC
o ran manylion y drwydded, yn unol ag amodau'r Tribiwnlys, a
rhywsut, gyda thîm llawer llai ar ochr y BBC a mwy o gyfraniad
o Gaerdydd, aeth y trafodaethau yn llawer mwy hwylus. Erbyn
hyn, dwi'n falch iawn o ddweud fod yna berthynas glos rhwng
Eos a'r BBC, a thrwydded 'blanced' newydd wedi ei chytuno
yn hollol annibynnol o'r Tribiwnlys. Roedd y gefnogaeth gan y
cyhoedd drwy'r holl helbul wedi golygu llawer iawn i mi. Byddai
pobl gwbl ddiarth yn dod ata i mewn cyngherddau weithiau i
gynnig gair o gefnogaeth ac anogaeth ac roedd hynny'n hwb
aruthrol i barhau gyda'r ymgyrch. Ond roedd galwad ffôn un
noson yn coroni'r cwbl. Ffoniodd y diweddar Dr Meredydd
Evans un noson pan oedd y pwysau yn cynyddu o Lundain i ni
roi'r gorau i sefydlu corff annibynnol.

'Peidiwch ag ildio i'r bastads,' meddai. Doedd dim rhaid iddo
ddweud mwy! Roedd Merêd yn gefnogwr brwd i'r ymgyrch ac
fe fyddai'n mynychu pob un o'n cyfarfodydd i'r aelodau yn
Aberystwyth ac yn cynnig sylwadau craff ar ein cynlluniau.
Fe ddaeth yn Llywydd Anrhydeddus i Eos ac roedd ei golli yn
ergyd fawr i ni i gyd. Ond nid pawb oedd yn gefnogol, ac fe
gefais siom aruthrol wrth ddarllen un erthygl yn *Golwg* gan
rywun ddylsai wybod yn well. Roedd awgrymu fod unigolion
a chwmnïau yn 'leinio pocedi eu hunain' gyda'r ymgyrch yn
gwbl anghywir ac yn sarhaus. Roeddwn yn hynod o flin gan
y gwyddwn yn iawn gymaint oedd yr ymroddiad gan nifer o
aelodau'r Gynghrair ac Eos, yn gwbl ddi-dâl, gyda'r nos ac
ar benwythnosau a hynny heb dderbyn unrhyw ad-daliad o
gostau hyd yn oed.

Yn dilyn llu o newidiadau mewn personél yn PRS, mi ddois
i'n ffrindiau â'r Prif Weithredwr newydd, Robert Ashcrofft,
a dwi wedi bod draw droeon i'w gyfarfod yn Llundain, yn
swyddogol ar ran Eos a hefyd yn gymdeithasol. Bellach mae
Eos, Y Gynghrair, PRS ac MCPS (Mechanical Copyright
Protection Society) yn cydweithio ar nifer o faterion sy'n
gwarchod hawliau cyfansoddwyr ac mae'n braf meddwl fod yr
holl ddadlau oedd yn eitha tanbaid ar un adeg, wedi arwain at

sefyllfa o gydweithio ac o sicrhau incwm gwell i gyfansoddwyr cerddoriaeth Gymraeg.

'Quiet calm deliberation disentangles every knot.'

***

Dwi wastad wedi mwynhau dathlu pen-blwyddi. Gan fy mod yn dathlu yng nghanol mis Mehefin, bydd y tywydd fel arfer yn braf ac mae gen i gof o gael sawl te parti yn yr ardd pan oeddwn i'n blentyn. Roedd angen dathliad felly pan ddaeth yr hanner cant yn 2006, a be well na chael parti yn yr ardd gyda chriw o ffrindiau o'r pentref ac o'r gwaith. Roedd Dan Lloyd a'r hogiau am ddod a nifer hefyd o aelodau Ar Log, felly cawsom *marquee* gyda llwyfan bach ac ynddo mi wnes i osod goleuadau a system sain. Daeth cyfaill arall hefyd oedd wedi bod yn gweithio efo ni yn y stiwdio, sef y diweddar Maartin Allcock. Roedd Maart yn gerddor a hanner ac wedi bod yn teithio gyda'r grŵp Jethro Tull yn yr 80au a chyda Fairport Convention. Roedd yr adloniant wedi'i sortio, ond yr hyn do'n i ddim yn ei wybod oedd bod Siân a genethod Pryd Ma Te, sef grŵp Siân yn yr 80au, wedi bod yn ymarfer yn y dirgel ac wedi paratoi set o'u caneuon. Mi roedd o'n *surprise* ffantastig! Yn amlwg roedd hi'n noson hwyr iawn neu yn fore cynnar a nifer wedi campio yn yr ardd, ond yn gynnar y bore wedyn roedd yn rhaid i mi fynd â'r genethod Heledd ac Elain gyda'i ffrind Gwenno i Fae Colwyn. Roedd eu tîm pêl-droed, Llewod Llanrug, sef genethod o dan 13, yn chwarae yn rownd derfynol y gwpan yn un o gynghreiriau gogledd Cymru. Er mai 'chydig iawn o gwsg roedd y genethod wedi'i gael, fe enillodd y Llewod y gwpan ac mi gyrhaeddon ni yn ôl, gyda'r gwpan, cyn i neb arall godi! Tad Gwenno, sef Aled Gibbard oedd yn hyfforddi'r tîm ac mi gafodd Heledd ac Elain brofiadau gwych yn chwarae pêl-droed i Lanrug am flynyddoedd. Cafodd Elain dreialon i dîm Cymru, ond yn y diwedd roedd rhaid dewis rhwng pêl-rwyd a phêl-droed ac mi wnaeth y dewis cywir gan iddi lwyddo i gael ei phenodi am gyfnod yn gapten ar dîm Pêl-rwyd

Cymru dan 18. Erbyn hyn mae hi'n hyfforddi timau Pêl-rwyd Prifysgol Metropolitan Caerdydd ac yn dal i chwarae i un o dimau Caerdydd. Er llwyddiant Elain, dwi'n teimlo'n aml ei bod hi'n llawer anoddach ar blant sy'n byw yn y gogledd i gael mynediad i'r timau cenedlaethol. Pan fyddai Elain yn cael ei galw i dreialon byddai'n golygu teithio am benwythnos cyfan i Gaerdydd, a hwyrach na fyddai dim yn deillio o hynny yn y diwedd, tra byddai'r rhai lleol yn gallu mynd a dod am ychydig oriau i'r treialon. Ar un adeg fe benderfynodd sgwad Cymru deithio i'r 'gogledd' i ymarfer. Pan ddaeth y genethod oddi ar y bws, dyma un yn dweud, 'It's far to North Wales isn't it?' Rhyfeddod, gan mai yn Llanfair-ym-Muallt roedd y ganolfan ymarfer yn y 'gogledd'!

Dwi ddim yn siŵr ai pasio'r 50 oedd ar fai, neu'r helynt gyda PRS, ond dechreuodd y pyliau llewygu ddod yn amlach. Yn od iawn fodd bynnag, byddent yn digwydd yn y nos. Byddwn yn deffro ganol nos yn teimlo'n sâl ac yna yn pasio allan – weithiau dro ar ôl tro. Yr unig beth y gallwn weld a oedd yn gyffredin bob tro oedd bod y pyliau yn dilyn cyfnod o brysurdeb mawr. Ar ôl yr Eisteddfod Genedlaethol yng Nghaerdydd yn 2008, roedd Gwenan Gibbard a minnau yn teithio i Chicago ar ran Sain, ar gyfer y North American Festival of Wales. Aeth popeth yn iawn ac ar ôl hedfan adref mi es yn syth yn ôl i'r gwaith. Erbyn diwedd yr wythnos roeddwn wedi blino ychydig ac felly roedd trip i'r sinema yng Nghyffordd Llandudno gyda Siân a'r plant ar ddydd Sadwrn yn swnio'n braf iawn. Ond yn ystod y ffilm, sef *Mamma Mia!* cefais bwl o lewygu yn y sinema, un ar ôl y llall. Galwyd ambiwlans ac yn anffodus i bawb arall, roedd rhaid stopio'r ffilm er mwyn i mi gael fy nghario allan. Yn yr ambiwlans fe sylwodd y *paramedic* bod fy mhyls yn weddol isel ac mi aethpwyd â fi i'r ysbyty yn Llandudno. Cefais sawl prawf, ond eto fel y troeon cynt, doedd dim byd yn dangos. Ar ôl 'chydig o oriau roeddwn yn teimlo'n ddigon da i fynd adref, ond fe fynnodd y doctor fy mod yn aros dros nos ac mi roddodd beiriant bach i mi i fonitro'r galon drwy'r nos. Tua 1.00 o'r gloch y bore, dyma bwl arall o lewygu ac fe welodd y gofalwyr beth oedd y peiriant yn ei gofnodi. Roedd fy nghalon yn arafu, yna pwysau'r gwaed yn disgyn ac roeddwn i'n llewygu, ond roedd y galon yn parhau i arafu ac yna yn stopio. Mi stopiodd am 30 eiliad yn ôl y peiriant, ac roedd hynny yn llawer rhy hir yn ôl y doctor. Rhaid cyfaddef, ro'n i'n cytuno! Heb oedi dim, fe'm rhuthrwyd i'r theatr ac fe osodwyd weiran drwy ochr fy ngwddw i mewn i'r galon a'i chysylltu i beiriant wrth ochr y gwely. Rhyw fath o *pacemaker* dros dro oedd o. Yna trefnwyd i'm trosglwyddo i Ysbyty Gwynedd i gael *pacemaker* mewnol go iawn. Dim ond ychydig o ddyddiau barhaodd y broses i gyd, ac ar ôl rhyw wythnos roeddwn yn teimlo'n llawer cryfach, ac yn bendant yn llai blinedig. Doedd yr holl beth ddim yn brofiad braf i Siân na'r plant, ond dwi'n credu bod y ffaith fod problem a oedd wedi bodoli ers dros 50 mlynedd wedi ei datrys, o'r diwedd, yn galonogol iawn – maddewch y *pun*! Y term swyddogol am y broblem sydd gen i yw *sick sinus syndrome*, sef bod y signal trydan sy'n cychwyn curiad y galon yn ddiffygiol weithiau. Ers cael y *pacemaker* fodd bynnag, sydd dros ddeg mlynedd yn ôl erbyn hyn, dwi ddim wedi llewygu unwaith ac mae fy niolch i yn fawr i'r doctor hwnnw wnaeth fynnu fy nghadw i mewn y noson honno yn Llandudno.

***

Dwi ddim yn gwybod ai'r gwallt gwyn oedd yn gyfrifol, ond pan ddechreuais i fritho daeth gwahoddiadau i ymuno â gwahanol bwyllgorau. Doeddwn i erioed wedi ystyried fy hun fel rhywun fyddai'n mwynhau pwyllgora, ond roedd Heledd, Elain a Math wedi elwa gymaint o'r profiadau a gawsant yn Ysgol Brynrefail, felly roeddwn yn awyddus iawn i gyfrannu cymaint ag y gallwn i'r ysgol fel Llywodraethwr. Dwi'n siŵr i mi gymryd rhyw dair blynedd cyn fy mod yn gyfarwydd â'r holl dermau ac yn gyffyrddus yn cyfrannu at y trafodaethau. Ond mi roeddwn yn mwynhau'r profiad ac yn falch o gael bod yn rhan o drefniadaeth yr ysgol, yn enwedig gan fod Dad hefyd wedi bod yn un o gyn-ddisgyblion yr hen Ysgol Brynrefail wreiddiol. Ar ôl ychydig o flynyddoedd cefais fy ethol yn Gadeirydd, ac roedd hynny yn wir yn gyfrifoldeb ac yn anrhydedd. Wrth weithio'n glos gyda'r Pennaeth roeddwn hefyd yn sylweddoli cymaint mae athrawon a staff yr ysgol yn ymroi i'w swyddi. Cefais wahoddiad hefyd i fod yn gadeirydd ar fwrdd ymddiriedolwyr Canolfan Gerdd William Mathias. Roedd hon yn fraint fawr unwaith eto, gan fod Math yn elwa gymaint o'r Ganolfan wrth gael gwersi piano gan Iwan Llywelyn Jones a gwersi telyn gan Elinor Bennet. Felly, roeddwn yn hapus iawn i gyfrannu mewn unrhyw fodd at drefniadaeth y Ganolfan. Elusen arall sy'n agos iawn at fy nghalon yw Ymddiriedolaeth Nansi Richards, sy'n cynnig ysgoloriaeth i delynorion ifanc yn flynyddol. Cymerais ran yn y cyngerdd enwog yng Nghorwen pan anrhydeddwyd Nansi gan Gymdeithas yr Iaith yn 1976 a defnyddiwyd yr elw o'r cyngerdd hwnnw i sefydlu'r ymddiriedolaeth rhai blynyddoedd wedyn. Pan gefais wahoddiad i fod yn un o'r ymddiriedolwyr, doedd dim rhaid i mi feddwl ddwywaith ac mae'n fraint enfawr cael bod yn gadeirydd yr ymddiriedolaeth erbyn hyn. Yn ystod Eisteddfod Genedlaethol y Fenni yn 2016 cefais fy nerbyn i fod yn aelod o'r Orsedd ac i mi hwn yw'r anrhydedd sy'n coroni'r cyfan. Roedd cael fy urddo i'r wisg werdd wir yn brofiad emosiynol, a fedra i ddim meddwl am unrhyw anrhydedd mwy gwerthfawr na chael eich cydnabod am eich cyfraniad i'ch diwylliant eich hunan yn eich gwlad – llawer gwell na bod yn aelod o ryw ymerodraeth estron sydd wedi ysbeilio gwledydd eraill.

Dafydd Meirion yw fy enw yn yr Orsedd. Cefais fy medyddio yn David Meirion Roberts, a 'Defid Rectory' oeddwn i i lawer yn y pentref. Yn yr ysgol gynradd fy ffrind pennaf oedd Alun Gabriel o Roslefain ac mi benderfynais ei alw yn Ali. Mi wnaeth ynta fy ngalw yn Dili a dyna oedd pawb yn fy ngalw wedyn, hyd yn oed yn yr ysgol uwchradd. Bydd rhai o'm cyfoedion yn dal i fy ngalw yn Dili, gan gynnwys fy hen athrawon! Pan ddechreuais yn y coleg, fodd bynnag, mi benderfynais newid y David i Dafydd ac fel roedd yn ffasiynol yr adeg hynny, gollwng y cyfenw a defnyddio'r ail enw yn unig, felly fel Dafydd Meirion y byddai nifer o'm cyd-fyfyrwyr yn fy adnabod. Y syndod mwyaf i mi, fodd bynnag, oedd na wnaeth neb godi'r mater pan wnes i gais am basport yn enw Dafydd Meirion Roberts!

***

Erbyn hyn, dwi'n falch o weld bod y plant a'u teuluoedd wedi cychwyn ar eu teithiau hwythau, a dyna fel y dylai fod wrth gwrs. Roedd 2013 yn flwyddyn fawr i ni fel teulu. Fe briododd Mei â Rhian, merch o Lanfair Caereinion, ac yn hwyrach yn y flwyddyn fe briododd Elis â Ceri, merch o Bencaenewydd, ger Pwllheli. Mi roedd o'n deimlad rhyfedd, ond braf iawn meddwl bod gen i felly ddwy ferch yng nghyfraith ac mewn ychydig o flynyddoedd cefais y profiad rhyfeddol o fod yn daid. Erbyn hyn mae gan Mei a Rhian ddwy o enethod, sef Nesta Meirion ac Esyllt Dafydd, ac mae gan Elis a Ceri ddau o hogia, sef Seth Elis ac Aron Huw. Mae dod i arfer efo'r statws 'Taid' yn beth rhyfedd ac mi fyddwn am yn hir iawn yn anwybyddu Nesta druan pan fyddai hi'n gweiddi 'Taid, Taid', nes i mi gofio – 'O ia, fi di hwnnw!' Mae'r pedwar yn gariadon bach ac yn werth y byd. Mae'n ddifyr gweld eu personoliaethau a'r nodweddion teuluol yn datblygu. Mae Heledd, Elain a Math wedi dilyn eu cwys eu hunain ac yn meithrin eu harbenigedd eu hunain. Heledd yn y diwydiant teledu, oedd yn anorfod braidd ar ôl bod yn gymeriad ar *Rownd a Rownd* ers pan oedd hi'n wyth oed; Elain gyda'i chwaraeon yn hyfforddi pêl-rwyd ac yn arbenigo mewn anafiadau chwaraeon; a Math, gyda'i lwyddiannau lu efo cerddoriaeth, wrth berfformio ar y delyn neu'r piano, neu yn cyfansoddi, bellach ar ei flwyddyn olaf ym Mhrifysgol Rhydychen. Maent i gyd yn dod â phleser mawr i Siân a minnau, a does dim byd gwell na chael y cwbl acw efo'i gilydd yn ein cartref uwchben Cwm-y-glo, fel y digwyddodd ar fy mhen-blwydd yn 60 dair blynedd yn ôl. Dyna fu dathliad – te parti go iawn yn yr ardd, efo criw o ffrindiau a digon o gerddoriaeth, er dwi ddim yn cofio yfed llawer o de!

Os oeddwn i yn drigain, yna roedd hynny'n golygu fod Ar Log

yn dathlu'r deugain, ac roedd hi'n ugain mlynedd ers rhyddhau yr albym ddiwethaf. Y bwriad felly oedd ceisio rhyddhau *Ar Log VII* rhywbryd yn 2016, ond roedd hi'n amhosib cael pawb at ei gilydd i recordio. Ers rhyddhau *Ar Log VI* yn 1996 roedd Stephen Rees wedi ymuno â'r grwp gwerin Crasdant, ac roedd Geraint Cynan wedi bod yn teithio gyda ni yn chwarae'r allweddellau. Ar ôl ugain mlynedd, felly, roedd Geraint yn adnabod ein caneon yn dda, ac fel cyfarwyddwr cerdd dawnus, roedd o'n ddewis amlwg i gynhyrchu *Ar Log VII*. Cymerodd ddwy flynedd i gael popeth i drefn, ond fe lwyddon ni i ryddhau'r albym yn Eisteddfod Genedlathol Caerdydd yn 2018, sef union ddeugain mlynedd ers rhyddhau'r albym gyntaf yn Eisteddfod Caerdydd yn 1978. Mi wnes i fwynhau bod yn ôl yn recordio yn y stiwdio, ac mae'r dechnoleg ddiweddaraf yn gwneud pethau gymaint yn haws. Ond mae gwaith y cynhyrchydd yn dal i fod yn hollbwysig, ac rwy'n hynod ddiolchgar i Geraint Cynan am ei holl waith diflino yn cael popeth i drefn, ac i Iolo am ei ymchwil a'i drefniannau.

Bellach, y blaenoriaethau yn y gwaith yw dathliadau Sain yn 50. Dwi'n teimlo'n freintiedig o fod yn y swydd yn ystod y dathliadau hyn, a dwi'n ffodus o gael cydweithio efo staff mor ymroddgar. Ond rhaid cydnabod bod dyfodol y diwydiant cerdd a'r byd recordio yn un ansicr iawn. Mae'r gwasanaethau ffrydio drwy gwmnïau enfawr megis Spotify ac Apple Music yn tanbrisio gwaith y cerddorion a'r cyfansoddwyr yn enbyd, yn enwedig cerddoriaeth mewn iaith leiafrifol. Yr wyf yn gryf o'r farn mai un o brif ddiffygion y diwydiant cerdd yng Nghymru yw'r ffaith nad oes strategaeth gynhwysfawr gan y Llywodraeth yn edrych ar ddatblygiad y diwydiant yn ei gyfanrwydd. Ers i'r Llywodraeth benderfynu peidio ariannu'r Sefydliad Cerddoriaeth Gymreig (WMF), mae gwagle enfawr wedi bod yn y diwydiant, a does dim un corff bellach yn cynrychioli'r diwydiant. Mae gan bob un o'r cyfryngau eraill gorff i'w cynrychioli a strwythur nawdd cyhoeddus sefydlog, boed yn deledu (S4C a'r BBC), Radio (BBC), y gweisg a'r diwydiant print (Y Cyngor Llyfrau), ond does dim byd cyffelyb gan gerddoriaeth ar wahân i'r Opera Cenedlaethol. Mae artistiaid angen cefnogaeth a chynhaliaeth gan y diwydiant, boed yn labeli, neu'n rheolwr, hyrwyddwr neu asiantaethau. Mae angen meithrin a datblygu artistiaid, rhoi profiadau iddynt yn y stiwdio, recordio cynnyrch i gynorthwyo gyda'r gwaith hyrwyddo; eu cefnogi mewn gwyliau ac ar deithiau, trafod efo hyrwyddwyr ac asiantaethau eraill ar eu rhan, trwyddedu eu cynnyrch i labeli eraill ac i'r cyfryngau, darlledwyr a chwmnïau ffilm. Byddai hyn wedyn yn rhyddhau'r artistiaid i ganolbwyntio ar eu celfyddyd.

Ers y chwyldro digidol, mae'r cyfleoedd i ddosbarthu cerddoriaeth yn y Gymraeg wedi gwella'n aruthrol ac er ei bod yn parhau i fod yn gerddoriaeth *niche*, mae bellach yn gerddoriaeth *niche* byd-eang. Ond mae'r swm o arian y gall y labeli ei fuddsoddi bellach mewn cerddoriaeth a chynnyrch newydd unigol yn llai nag yr oedd tua 20 mlynedd yn ôl. Mae'r dechnoleg recordio yn well ac mae'r broses yn haws, ond mae cerddorion sesiwn a chynhyrchwyr angen cael eu talu ac ennill bywoliaeth.

Y frwydr felly i mi ar hyn o bryd yw ceisio darbwyllo'r Llywodraeth bod angen corff i gynrychioli'r diwydiant cerdd a strategaeth i'w ddatblygu'n fasnachol. Wedyn gallwn allforio ein cerddoriaeth a'n diwylliant yn hyderus ar draws y byd fel mae nifer o wledydd, llawer llai na Chymru, yn llwyddo i'w wneud.

Fel dwi'n nesáu at oed ymddeol, dwi'n edrych ymlaen yn arw at gael mwy o amser i deithio eto. Y bwriad yw mynd yn ôl i'r llefydd hynny sydd wedi creu argraff arna i, ond y tro hwn gyda Siân er mwyn rhannu'r profiadau. Rydan ni wedi cychwyn arni yn barod. Yn ystod yr haf aethom draw i Frankfurt, llogi *motorhome*, a dilyn ein trwynau am bythefnos i dde'r Almaen a'r Swistir, cyfarfod ffrindiau ac ymweld â rhai o'r llefydd hyfryd yr oeddwn yn eu cofio o'm dyddiau ar y lôn gydag Ar Log. Gobeithio y bydd sawl taith i ddod eto cyn cyrraedd pen y daith.

Hefyd o'r Lolfa:

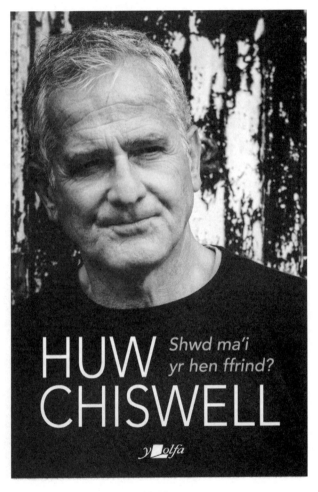

£9.99

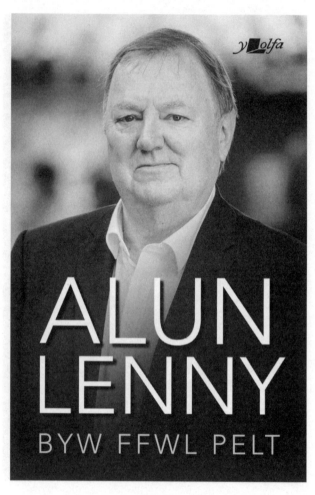

ALUN
LENNY

BYW FFWL PELT

£9.99

MEIC STEVENS

Hunangofiant y Brawd Houdini

Rhan 1

£9.95

Holwch am bris argraffu!
www.ylolfa.com